Helmut Fischer
Joachim Genosko
Johannes Schneider (Hrsg.)

Wirtschaftsstandort Deutschland

4. Ingolstädter Fakultätstagung

Die Deutsche Bibliothek - CIP-Einheitsaufnahme

Universität <Eichstätt> / Wirtschaftswissenschaftliche Fakultät:
... Ingolstädter Fakultätstagung / [Wirtschaftswissenschaftliche Fakultät in Ingolstadt]. - Regensburg : Transfer-Verl.
NE: ... Ingolstädter Fakultätstagung

4. Wirtschaftsstandort Deutschland. - 1995

1395/02

Printed in Germany

Wirtschaftsstandort Deutschland

Helmut Fischer
Joachim Genosko
Johannes Schneider (Hrsg.)

Vorwort der Herausgeber

Am 16. April 1994 fand die 4. Ingolstädter Fakultätstagung statt, die unter das Thema "Wirtschaftsstandort Deutschland" gestellt war. Wie schon die vorausgegangenen Fakultätstagungen diente auch die diesjährige Veranstaltung in erster Linie dem Dialog zwischen Wissenschaft und Praxis.

Vertreter von Unternehmen des produzierenden Gewerbes, von Dienstleistern sowie von Verbänden und Verwaltungen kamen an die Wirtschaftswissenschaftliche Fakultät in Ingolstadt, um sich mit dem Thema in Diskussionen untereinander und mit den Professoren und Mitarbeitern der Fakultät auseinanderzusetzen. Der Teilnehmerkreis umfaßte sowohl Interessenten aus der Region als auch aus anderen Bundesländern und dem nahegelegenen Ausland.

Aus der Reihe der Probleme, die sich im Zusammenhang mit dem Thema "Wirtschaftsstandort Deutschland" stellen, hatten die Organisatoren der Tagung drei Bereiche ausgewählt, die als besonders dringlich anzusehen sind. Hierbei handelt es sich um die Flexibilisierung der Arbeitsmärkte, die Forschungs- und Technologiepolitik sowie die Unternehmenssteuern. Zu diesen Themen wurden insgesamt fünf Vorträge gehalten, wobei als Referenten Experten von der Arbeitgeber- und Arbeitnehmerseite, von der Europäischen Union und aus der Wissenschaft gewonnen werden konnten.

In der vorliegenden Broschüre sind die Vorträge und die Zusammenfassungen der Diskussionen abgedruckt. Damit sollen die Inhalte der 4. Ingolstädter Fakultätstagung nicht nur den Teilnehmern in Erinnerung gerufen, sondern auch einem größeren Interessentenkreis zugänglich gemacht werden.

Auch an dieser Stelle möchten sich die Organisatoren der Veranstaltung für die finanzielle Unterstützung durch das Bayerische Staatsministerium für Wirtschaft und Verkehr, insbesondere bei Herrn Ministerialdirigent Jasper, sowie durch die Industrie- und Handelskammer für München und Oberbayern, insbesondere bei deren Hauptgeschäftsführer, Herrn Prof. Dr. Wimmer, herzlich bedanken. Unser Dank gilt darüber hinaus der Stadt Ingolstadt, vertreten durch Ihren Oberbürgermeister, Herrn Peter Schnell, die bei der Durchführung der Veranstaltung behilflich war.

Ingolstadt, im Dezember 1994

Helmut Fischer Joachim Genosko Johannes Schneider

Inhaltsverzeichnis

Das Konzept eines "Wettbewerbs der Länder": Möglichkeiten und Grenzen

Helmut Fischer, Joachim Genosko, Johannes Schneider

Kaum einem ökonomischen Thema haben Politik, Medien und die Fachwelt in den vergangenen Jahren soviel Aufmerksamkeit gewidmet wie der Standortdebatte. Neben der akademischen und publizistischen Fachwelt, den einschlägigen Verbänden und Verwaltungen haben sich auch alle möglichen gesellschaftlichen Gruppierungen, Feuilletonisten, Leitartikler und andere Generalisten an dieser Debatte beteiligt.

Diese Publizität war sehr hilfreich, hat sie doch - wenn auch mit einiger Verzögerung - die Aufmerksamkeit weiter Teile der Gesellschaft auf ein sehr ernstes Problem gelenkt. Zu Beginn der 90er Jahre mußten zahlreiche bundesrepublikanische Unternehmen aus unterschiedlichsten Branchen auf den umkämpften Exportmärkten der Welt empfindliche Einbußen ihrer Marktanteile hinnehmen. Andere Unternehmen konnten ihre Marktanteile verteidigen, indem sie Teile ihrer ökonomischen Aktivitäten ins Ausland verlagerten, und zwar Produktions- bzw. Einkaufsaktivitäten. Die Verluste von Exportanteilen sowie die Zunahme der Direktinvestitionen im Ausland bei gleichzeitiger Abnahme der ausländischen Direktinvestitionen in der BRD indizier(t)en eine veritable Standortkrise.

In der (wirtschafts-)politischen Debatte über die Ursachen und die Rezepturen zur Behebung dieser Standortkrise wird häufig das ökonomische Konzept eines "Wettbewerbs der Länder" um die international mobilen Produktionsfaktoren bemüht. Dies trifft in mehr oder weniger expliziter Weise auch auf die folgenden Beiträge zu. Weil dieses Konzept für ein Verständnis der Problematik der internationalen Wettbewerbsfähigkeit von Industrien sehr hilfreich ist, wollen wir es im folgenden kurz skizzieren.

In diesem Konzept werden die verschiedenen Länder als Produktionsstandorte aufgefaßt, die mit bestimmten "immobilen Produktionsfaktoren" ausgestattet sind. Darunter sind nicht nur Boden, Naturressourcen (inkl. Umwelt) sowie erhebliche Teile des Humankapitals, sondern auch jene Faktoren zu subsumieren, die der Staat zur Verfügung stellt. Zu letzteren zählen in erster Linie die Infrastruktur, das Ausbildungssystem, die Wirtschaftsordnung, das Geldsystem und alle anderen produktiven Leistungen, die direkt oder indirekt der Produktion privater Güter zu Gute kommen. Dazu zählen aber auch all jene Faktoren, die die Produktivität der (privaten) Produktion von Gütern beeinträchtigen, z.B. ineffiziente Regulierungen, Bürokratien, Zeitinkonsistenzen und Irrationalitäten der Politik.

Die verschiedenen Länder, die jeweils mit einem spezifischen Bündel von solchen immobilen Produktionsfaktoren ausgestattet sind, treten in den internationalen "Wettbewerb der Länder" um die mobilen Produktionsfaktoren, i.e. das Kapital und die mobilen Teile des Humankapitals. Selbstverständlich wird die Wettbewerbsfähigkeit eines Standorts nicht nur durch dessen Faktorangebot, sondern auch durch die Kosten determiniert, die durch die Benutzung der immobilen Faktoren entstehen. Neben den Entlohnungen für die Dienste des immobilen Humankapitals sowie den Preisen und Abgaben für die Benutzung von Boden und Naturressourcen, inkl. Umwelt, sind auch Steuern und Abgaben für die Bereitstellung der Leistungen des öffentlichen Sektors zu entrichten. Je günstiger die Relationen zwischen den Produktivitäten und den Faktorkosten für diese immobilen Faktoren eines Landes sind, um so höher werden Produktivität und Rendite des Kapitals an diesem Standort sein. Da die Investoren die beste Anlage suchen, muß es zu Kapitalwanderungen und infolgedessen zu einer Nivellierung der marginalen Kapitalproduktivität kommen, bis sich weltweit eine einheitliche Kapitalrentabilität einstellt. Selbstverständlich muß die Kapitalrentabilität auch erwartete Veränderungen der Wechselkurse sowie Prämien für die systematischen Risiken abgelten, welchen die Renditen in der jeweiligen Landeswährung sowie die Wechselkurse unterliegen.

In der Konsequenz wird das in einem Land investierte Kapital um so größer sein, je günstiger die Preis-Leistungs-Relation für die immobilen Faktoren des Landes im Vergleich zu anderen Ländern ausfällt, und zwar unabhängig davon, ob die Investitionen von in- bzw. ausländischen Unternehmen getätigt werden. Dynamisch betrachtet wird jenes Land am meisten Kapital attrahieren und damit am schnellsten wachsen, in welchem sich das Preis-Leistungs-Verhältnis für die immobilen Faktoren am günstigsten entwickelt. Die Güter aus einem Land können auf den umkämpften internationalen Märkten nur reüssieren, wenn das Preis-Leistungs-Verhältnis seiner immobilen Faktoren kompetitiv, d.h. im Vergleich zu anderen Ländern relativ gering ist. Für diesen Fall prognostiziert die Theorie des "Wettbewerbs der Länder" auch positive Salden der ausländischen Direktinvestitionen im Inland über die inländischen Direktinvestitionen im Ausland. Da die Direktinvestitionen inländischer (ausländischer) Unternehmen im Ausland (Inland) ceteris paribus inländische Güterexporte (-importe) substituieren bzw. Güterimporte (-exporte) induzieren, besteht ein Trade-off zwischen dem Saldo der Handelsbilanz und dem Saldo der ausländischen Direktinvestitionen der inländischen Unternehmen. Ein günstiges Preis-Leistungs-Verhältnis bei immobilen Produktionsfaktoren attrahiert viel Kapital und führt zu Überschüssen der ausländischen Direktinvestitionen und der Handelsbilanz. Auf diese Weise stellt das Konzept des "Wettbewerbs der Länder" einen einfachen Zusammenhang zwischen der internationalen Wettbewerbsposition und dem Wirtschaftswachstum eines Landes her.

Dieses Konzept des "Wettbewerbs der Länder" leistet in unseren Augen einen wichtigen Beitrag zum Verständnis gesamtwirtschaftlicher Determinanten der Wettbewerbsfähigkeit von Industrien. Da es auf der anderen Seite nicht unumstritten ist und auch von sehr renommierten Ökonomen heftig kritisiert wird, wollen wir auf diese Kritik kurz eingehen, um die Möglichkeiten, aber auch die Grenzen dieses

Ansatzes deutlich zu machen. Im wesentlichen betrifft die Kritik vier Punkte, die in den folgenden Abschnitten diskutiert werden:

1. Die empirische Validität des Konzepts des "Wettbewerbs der Länder"
2. Die Analogie des Wettbewerbs der Unternehmen und des "Wettbewerbs der Länder": Zur theoretischen Validität des Konzepts
3. Die allokativen Fehlentwicklungen eines unkoordinierten "Wettbewerbs der Länder"
4. Die verteilungspolitischen Konsequenzen eines unkoordinierten "Wettbewerbs der Länder"

1. Die empirische Validität des Konzepts des "Wettbewerbs der Länder"

Im Kern läuft die Theorie des "Wettbewerbs der Länder" auf die These hinaus, daß das Wachstum eines Landes wesentlich von der Entwicklung der *relativen Produktivitätssteigerung* abhängt. In verschiedenen Publikationen - unter anderem in Die Zeit v. 29. April 1994 - hat der MIT-Ökonom Paul Krugman die empirische Validität dieses Konzept heftig bestritten. Er vertritt demgegenüber die These, daß nicht die relative, sondern die *absolute Produktivitätsentwicklung* das Wirtschaftswachstum eines Landes determiniere. Zur Stützung seiner These verwies er auf die US-Entwicklung nach dem 2. Weltkrieg. In Phasen hohen Wachstums bis zur 1. Ölkrise ebenso wie in den Phasen niedrigen Wachstums danach stimme die Wachstumsrate des kaufkraftbezogenen Bruttosozialprodukts mit der absoluten Wachstumsrate der inländischen Produktivität überein. Um das Argument zu verstehen, muß man sich vor Augen halten, daß bei der Ermittlung des kaufkraftbezogenen BSPs die Exporte nicht mit den Exportpreisen, sondern mit den jeweiligen Importpreisen deflationiert werden. Das kaufkraftbezogene BSP und seine Entwicklung sind

Indikatoren für den Lebensstandard und seine Entwicklung im Zeitablauf, weil nicht der Verkaufserlös der exportierten Güter, sondern der Gegenwert der dafür erhältlichen Importgüter, in seine Berechnung eingeht. Für die Frage, welchen Beitrag die internationale Wettbewerbsfähigkeit zur Wohlfahrt eines Landes leistet, ist dieser Indikator sicherlich aussagekräftiger als das BSP bzw. das BIP.

Obwohl man unsystematischen empirischen Beobachtungen nicht allzu großen Wert beimessen kann, muß man sich dennoch mit Krugmans Argument auseinandersetzen, zumal er auch noch auf ähnliche Resultate für Japan und die Europäische Gemeinschaft verweist. Gelegentlich wird argumentiert, daß seine These nur auf Länder mit geringen Außenhandelsverflechtungen zutreffe. Dieser Einwand ist allerdings nicht überzeugend, wenn man bedenkt, daß der von Krugman behauptete empirische Sachverhalt auch für Japan gilt. Auffallend ist jedoch, daß es sich in allen drei Fällen um ökonomische Einheiten handelt, die nicht zuletzt aufgrund der Währungsentwicklungen grosso modo und langfristig mit stark steigenden Importpreisen konfrontiert waren. Dies trifft, wenn man von einer kurzen Phase in den 80er Jahren absieht, in erster Linie auf die USA zu. Es gilt aber auch für die EG als Ganzes sowie für Japan mit Ausnahme der letzten Jahre. Anders verhält sich die Sache, wenn man die Bundesre-publik für sich allein betrachtet oder andere Länder, deren Währungen in der langen Frist eine kontinuierliche Aufwertung erfahren haben. Die Wohlfahrt der BRD, indiziert durch die Entwicklung des kaufkraftbezogenen BSPs, stieg relativ stärker, weil sich die Importpreise für die BRD aufgrund der kontinuierlichen DM-Aufwertung günstiger entwickelten als in Ländern mit schwachen Währungen. Und die bundesrepublikanischen Wirtschaftssubjekte konnten nur deshalb relativ günstig Importgüter erwerben, weil die D-Mark aufgrund der anhaltenden Leistungsbilanzüberschüsse aufwertete.

In Wahrheit unterschätzt aber selbst das kaufkraftbezogene BSP die Wohlfahrtsentwicklung der BRD. Die im internationalen Vergleich bemerkenswerte - und von manchen kritisierte - Entwicklung der (jährlichen) Freizeit, der Umweltqualität sowie des sozialen und kulturellen Zustands - alles wohlfahrtsrelevante Größen - wäre niemals zu finanzieren gewesen, wenn nicht die internationale Wettbewerbsfähigkeit trotz der starken D-Mark behauptet und ausgebaut worden wäre. Diese Entwicklungen sind allein mit der absoluten Produktivitätsentwicklung nicht zu erklären. Sie waren, sind und werden nach unserer Überzeugung auch in der Zukunft nur darstellbar sein, soweit eine hohe *relative Produktivitätsentwicklung* die internationale Wettbewerbsfähigkeit, eine starke D-Mark und damit einhergehend relativ günstige Importpreise ermöglicht. Nur eine solche Entwicklung kann sicherstellen, daß man relativ wenig inländische Produktionsfaktoren, die gleichsam in den Exportgütern enthalten sind, gegen große ausländische Faktormengen eintauscht, die in der Produktion der Importgüter aufgewandt wurden.

Natürlich können diese Betrachtungen keine systematischen empirischen Untersuchungen ersetzen, die es zu diesen Fragen noch nicht gibt, insbesondere nicht solche, die den Überlegungen des letzten Absatzes Rechnung tragen. Sie relativieren jedoch Krugmans Einwände, und lassen, was jedenfalls die empirische Seite betrifft, die Theorie vom "Wettbewerb der Länder" unter einem günstigeren Licht erscheinen. Aber letztlich kann diese Frage natürlich nur auf dem Hintergrund systematischer empirischer Untersuchungen diskutiert und entschieden werden.

2. Die Analogie des Wettbewerbs der Unternehmen und des "Wettbewerbs der Länder": Zur theoretischen Validität des Konzepts

Sehr viel überzeugender als die empirischen Anmerkungen sind in unseren Augen Krugmans theoretische Einwände gegen dieses Konzept. In der Theorie des "Wettbewerbs der Länder", insbesondere in ihren absatzträchtigen populärwissenschaftlichen Darstellungen wird meist mit einer engen Analogie zwischen dem "Wettbewerb der Länder" und dem Wettbewerb der Unternehmen auf Märkten operiert, die Krugman zu Recht als unsinnig kritisiert. Unternehmen, die ihre

Wettbewerbsfähigkeit verlieren, verschwinden nach und nach von den Märkten und verlieren in letzter Konsequenz ihre Existenz. Wenn Länder an internationaler Wettbewerbsfähigkeit verlieren, reformieren sie möglicherweise ihr ökonomisches Ordnungssystem, sie separieren oder vereinigen sich, aber sie verlieren als (Teile von) ökonomische(n) Einheiten selbstverständlich nicht ihre Existenz. Sie nehmen auch mit reduzierter Wettbewerbsfähigkeit in irgendeiner Form am internationalen Güter- und Leistungsaustausch teil, wenngleich sie schlechtere Resultate erzielen. Der Grund hierfür liegt in den ökonomischen Mechanismen, die die internationale Arbeitsteilung steuern und auf der überlegenen Produktivität der internationalen Arbeitsteilung basieren.

Aber selbst wenn man von diesen allzu groben Vereinfachungen absieht, trifft Krugmans Kritik diesen Ansatz grundsätzlicher, auch seine konzisen Modellierungen. Im Konzept des Länderwettbewerbs kann ein Land, das seiner internationalen Wettbewerbsfähigkeit verlustig zu gehen droht, diese nur sichern bzw. wiedererlangen, wenn es entweder die Benutzung der immobilen Faktoren verbilligt, oder deren Produktivität erhöht. Beides kommt ceteris paribus den mobilen Produktionsfaktoren zugute und erhöht deren Rentabilität.

Die Benutzung der immobilen Faktoren kann unmittelbar durch eine Senkung der Faktorpreise verbilligt werden. Dies kann durch Steuer- und Abgabenentlastungen oder durch eine Senkung des Reservationspreises dieser Faktoren geschehen. Letzteres ist keineswegs allein durch die Senkung des Arbeitslosengeldes bzw. der Sozialhilfe zu bewerkstelligen, sondern beispielsweise auch durch die Ausweisung von Bauland und anderen faktorverbilligenden Maßnahmen. Eine Senkung der Benutzungskosten der immobilen Faktoren kann aber auch erreicht werden, indem die mobilen Faktoren steuerlich entlastet werden. Die Steuern auf mobile Faktoren kann man nämlich als ein Eintrittsgeld in einen Club (Land) auffassen, der seinen Club-Mitgliedern, i.e. die im Inland steuerzahlenden Eigner der mobilen Faktoren, die exklusiven Rechte zur Benutzung der inländischen immobilen Faktoren garantiert. Offensichtlich wird deren Benutzung um so billiger, je geringer die Steuern auf die mobilen Faktoren sind. Schließlich kann man die immobilen Faktoren noch verbilligen, indem man die Renten reduziert, die da und dort im politischen System, der öffentlichen Verwaltung, aber auch in den zahlreichen parafiskalischen öffentlichen Einrichtungen und Verbänden erzielt werden. Um Mißverständnissen vorzubeugen, sei darauf verwiesen, daß der Begriff "Rente" im eigentlichen ökonomischen Sinne und nicht im Sinne eines (unangemessen hohen) Ruhegeldes verwendet wird, sondern ganz allgemein leistungsloses Einkommen meint, das allenthalben realisiert wird.

Eine Standortaufwertung kann aber auch durch private und öffentliche Maßnahmen erreicht werden, die die Produktivität der immobilen Faktoren erhöhen. Im privaten Bereich wird dies in erster Linie über die Entwicklung von Humankapital durch Haushalte oder durch unternehmerische Initiativen geschehen. Daneben spielen natürlich auch F&E-Investitionen, aber auch produktivitätssteigernde Real- und Finanzinvestitionen eine zentrale Rolle. Aus der Sicht des "Wettbewerbs der Länder" ist die Frage, welche Anreize der Staat für die Entwicklung dieser produktivitätssteigernden Maßnahmen setzt, von besonderer Bedeutung. Die steuerliche Behandlung von Investitionen in F&E bzw. in Humankapital ist dabei ebenso zu nennen, wie die gezielte Übernahme hoher Fixkosten im F&E-Bereich. Letzteres freilich nur, wenn diese Fixkosten prohibitiven Charakter für private F&E-Investitionen haben, und durch die Übernahme dieser Kosten auch tatsächlich privater Investitionsattentismus überwunden werden kann. Zu nennen sind aber auch Investitionen in Infrastruktur, die geeignet sind, über positive externe Effekte bzw. die Vermeidung negativer externer Effekte die Produktivität der immobilen Faktoren und damit im weiteren die Wettbewerbsfähigkeit eines Standorts zu erhöhen. In erster Linie zählen dazu klassische Infrastrukturmaßnahmen, aber auch Investitionen in das Bildungssystem und die Umwelt. Zugegebenermaßen werfen die Fragen nach dem Umfang und dem Design dieser Maßnahmen im Detail große ökonomische Probleme auf.

Trotz der großen Fülle verschiedener Maßnahmen, die dieser Ansatz vorsieht, um die Wettbewerbsfähigkeit eines Landes auf bestimmten internationalen Märkten zu erreichen, wird ein genuiner Mechanismus des Marktsystems außer acht gelassen. Dieser Mechanismus kommt aufgrund des Wettbewerbs auf den internationalen Gütermärkten zum Tragen, und zwar selbst dann, wenn die Politik ihre "Hausaufgaben" zur Sicherung einer Standortqualität nicht erfüllt. Er steuert die internationale Arbeitsteilung und beruht darauf, daß Unternehmen international nur wettbewerbsfähig sind, wenn sie mit den für ihren Produktionsstandort relativ günstigen Kombinationen von immobilen Faktoren arbeiten. Wenn nämlich ein Land bestimmte produktive Faktoren, die zur *effizienten und international kompetitiven* Produktion bestimmter Güter erforderlich sind, nicht oder nur in einem geringen Ausmaß zur Verfügung hat, dann können Unternehmen diese Güter in diesem Land nicht produzieren, weil die Opportunitätskosten für die heimische Produktion dieser Güter zu hoch sind, oder anders ausgedrückt, weil andere Länder aufgrund ihrer Faktorausstattung komparative Kostenvorteile bieten. Anstelle dessen werden die Unternehmen auf die Produktion jener Güter ausweichen müssen, für deren Produktion eine günstigere Faktorausstattung vorhanden ist. Wenn beispielsweise das Humankapital eines Landes bestimmte Kompetenzen nicht anbietet, müssen weniger anspruchsvolle Güter produziert werden, die freilich auf den internationalen Märkten ungünstigere relative Preise erzielen. Die Unternehmen werden diese Produkte im internationalen Güteraustausch selbst dann absetzen können, wenn sie absolute Effizienzdefizite gegenüber den Unternehmen eines anderen Landes besitzen. Jedenfalls ist dies der Fall, wenn die Unternehmen des anderen Landes bei anderen Gütern noch größere Effizienzvorteile besitzen. Die Unternehmen dieses Landes werden sich nämlich wegen des Wettbewerbs auf den globalen Gütermärkten und den heimischen Faktormärkten tendenziell auf jene Güter spezialisieren müssen, bei welchen sie die größeren komparativen Effizienzvorteile realisieren können. Die Konsequenz wird freilich sein, daß die Unternehmen mit der geringeren Effizienz ungünstige relative Preise erzielen. Entsprechend niedrig müssen dann die Faktoreinkommen dieses Land ausfallen.

An diesem zentralen Theorem der internationalen Arbeitsteilung ändert sich nichts grundlegendes, wenn man Marktimperfektionen wie externe Effekte, Skalen- und Scope-Erträge sowie Marktmacht in die Betrachtung einbezieht. Freilich stellen in diesen Fällen die Faktorausstattungen nicht die einzigen Determinanten der internationalen Arbeitsteilung dar, weil dann die Verteilung der Imperfektionen über die Länder die Marktallokationen kodeterminiert.

Wenn man das Modell des "Wettbwerbs der Länder" von diesem Makel befreit, indem man explizit nationale Märkte für marktgängige immobile Faktoren und nicht-handelbare Güter sowie globale Märkte für handelbare Güter und mobile Faktoren einführt, dann wird nichts anderes als ein reales Außenhandelsmodell resultieren, das die Rolle der öffentlichen Güter und der Besteuerung mobiler und immobiler Faktoren explizit macht.

3. Die allokativen Fehlentwicklungen eines unkoordinierten "Wettbewerbs der Länder"

Die Theorie des "Wettbewerbs der Länder" gibt dem Wettbewerb zwischen den Ländern den Vorzug gegenüber internationaler wirtschaftspolitischer Koordination. Man kann ohne Übertreibung sagen, daß dies sogar die zentrale wirtschaftspolitische Botschaft dieses Ansatzes ist. Wenn wir uns in einer "erstbesten" Welt ohne virulente Informationsprobleme, externe Effekte und Marktmacht befänden, könnte man diesem Dogma ohne wenn und aber zustimmen. Es bezöge seine Legitimation unmittelbar aus dem 2. Hauptsatz der Wohlfahrtsökonomie. In einer solchen Welt gäbe es allerdings auch keinerlei Bedarf für Wirtschaftspolitik oder internationale Koordination derselben. In einer Welt, die mit etlichen der oben genannten Imperfektionen behaftet ist, kann man allerdings nicht davon ausgehen, daß Wettbewerbsmechanismen automatisch zu effizienten Lösungen führen. Im Gegenteil, wir wissen aus der ökonomischen

Theorie der imperfekten Märkte, daß in diesen Fällen der Wettbewerb Allokationen generiert, die in der Regel weit von der "zweitbesten" Lösung entfernt sind. Wenigstens in all diesen Fällen ist politische Koordination vonnöten und sinnvoll, weil sie Effizienzgewinne gegenüber der reinen Wettbewerbsallokation ermöglicht.

Im folgenden sollen die wichtigsten Probleme, die im "Wettbewerb der Länder" auftreten, kurz skizziert werden. Für eine ausführlichere Diskussion dieser Fragen sei auf einen Vortrag von Hans Werner Sinn (1990) verwiesen.

Im Kontext des "Wettbewerbs der Länder" sind vor allem die externen Effekte, aber auch bestimmte Informationsasymmetrien verantwortlich für die Ineffizienz von reinen Wettbewerbsallokationen ohne jede politische Koordination.

Erstens wird der "Wettbewerb der Länder" im Bereich der Umweltschäden zu global ineffizienten Lösungen führen. Dies wird gerade dann der Fall sein, wenn die Politiker im nationalen Interesse ihrer Bürger handeln und aus nationaler Sicht effiziente Lösungen verwirklichen. Daß sich die Ineffizienzen darüber hinaus noch potenzieren, wenn sich Politiker an partikulären Interessen einzelner Gruppen orientieren, liegt auf der Hand. Besonders gut läßt sich das Problem an länderüberschreitenden externen Effekten verdeutlichen. Beispielhaft seien nur zwei von zahlreichen Problemen genannt, die ökonomische Nutzung der tropischen Regenwälder und die "Politik der hohen Schornsteine".

Ein "Wettbewerb der Länder" muß zwangsläufig dazu führen, daß die Nutzung der Regenwälder ausschließlich nach einzel- und binnenwirtschaftlich rationalen Gesichtspunkten vorgenommen wird. Die damit für alle Länder der Welt auch einhergehenden negativen Auswirkungen, die selbstverständlich auf längere Sicht auf der ganzen Welt ungeheure ökonomische Kosten verursachen werden, können und werden von den betroffenen Entwicklungs- und Schwellenländern nicht berücksichtigt werden, wenn sie im internationalen Wettbewerb stehen. Sie internalisieren bestenfalls die in ihren Grenzen wirksamen externen Effekte, soweit sich die Politiker dieser Länder nicht ohnedies an den Partikulärinteressen bestimmter Gruppen orientieren. Nur eine politische Koordination, die diesen Ländern finanzielle Anreize für die Berücksichtigung dieser grenzüberschreitenden externen Effekte auf die anderen Länder bietet, kann zu global effizienten Lösungen führen.

Ganz ähnlich verhält es sich mit den "hohen Schornsteinen", die die Luftverunreinigungen weg von den Nutznießern an den Produktionsstandorten auf die ganze Welt verteilen. Selbst wenn die Bürger und die Regierungen eines Landes bestimmte kostenträchtige Reinigungsaktivitäten oder verschmutzungshemmende technologische Veränderungen wünschen, können sich solche Entwicklungen unter Wettbewerbsbedingungen nur bedingt durchsetzen. Im Länderwettbewerb wird tendenziell ein Prozeß der negativen Auslese ablaufen, der damit endet, daß entweder gar keine oder die kostenminimalen Standards unter allen Wettbewerbsländern verwirklicht werden. Selbst wenn die Bürger eines Landes bestimmte Umweltstandards wünschen, muß die Regierung eines Landes um der internationalen Wettbewerbsfähigkeit seiner Industrie willen die Kosten für Reinigungsaktivitäten in jenem Rahmen halten, den der internationale Wettbewerb setzt. Allenfalls Länder, die einen erheblichen Wettbewerbsvorsprung haben, können sich "philanthrope" Lösungen leisten. Ohne eine internationale Koordination, die eine möglichst effiziente Politik verwirklicht, wird man derartige Probleme niemals ausräumen können.

Zweitens wird ohne politische Koordination die Bereitstellung bestimmter öffentlicher Güter nicht funktionieren, wenn sog. natürliche Monopole vorliegen und die Stückkosten für die Bereitstellung des Gutes sinken. Unter Wettbewerbsbedingungen könnte der Staat nur einen Preis verlangen, der den Grenzkosten entspricht. Da grundsätzlich im Bereich sinkender Grenzkosten die Grenzkosten unter den Stückkosten liegen, muß der Staat Verluste realisieren. Es liegt auf der Hand, daß er im internationalen Wettbewerb diese Verluste nicht tragen kann und auf die Bereitstellung des öffentlichen Gutes verzichten wird. Solange es sich, wie bei verschiedenen kulturellen Angelegenheiten, um ein öffentliches *Konsumgut* handelt, wird eine solche Entwicklung von verschiedenen Protagonisten dieses Konzepts möglicherweise begrüßt werden. Derartige Vorgänge sind allerdings jenseits der Tatsache, daß sie zu Wohlfahrtsverlusten führen können, auch unter verteilungspolitischen Gesichtspunkten zu diskutieren. Noch virulenter wird das Problem, wenn es sich um öffentliche *Investitionsgüter* handelt, die die Produktivität der privaten Investitionen beeinflussen. Im Bereich der öffentlichen Infrastruktur gibt es zahlreiche Beispiele hierfür, beispielsweise die Wasserver-, Abwasserentsorgung und öffentliche Verkehrsmittel. Im unkoordinierten "Wettbewerb der Länder" würde die Bereitstellung derartiger öffentlicher Güter ausbleiben, weil die Verluste unter Wettbewerbsbedingungen nicht zu tragen sind. Wie man weiß, bricht selbstverständlich im Falle eines solchen natürlichen Monopols aus den oben genannten Gründen auch eine private Bereitstellung der Güter zusammen.

Gelegentlich wird argumentiert, daß auch gewisse internationale Qualitäts- und Sicherheitsstandards für Güter und Leistungen durch politische Koordination gewährleistet werden müssen. Auf Märkten, bei welchen zwischen Anbietern und Nachfragern ein großes Informationsgefälle über die Qualität von Gütern und Leistungen besteht, kann ein Prozeß der negativen Auslese auftreten, in dem die guten, aber teuren Produkte vom Markt verdrängt, und die schlechten, billigen Produkte am Markt verbleiben. Diese Art von Problemen sind nicht zu vernachlässigen, weil die Märkte, auf denen sie auftreten können, zahlreich und relevant sind. Einschlägig bekannt sind Versicherungsmärkte, aber grundsätzlich können dies alle Märkte sein, auf welchen nicht standardisierte Güter gehandelt werden, deren Qualität von den Nachfragern nicht zuverlässig kontrolliert werden kann. Freilich wäre es völlig überflüssig auf all diesen Märkten Regulierungen vorzunehmen. Wir wissen nämlich aus Theorie und Praxis, daß die Unternehmen bestimmte ökonomische Signale setzen können, die die Qualität ihrer Produkte zuverlässig signalisieren. Insbesondere wird die Reputation einer Unternehmung geeignet sein, die Qualität ihrer Produkte zu versichern. Ein gewisses Problem kann allerdings auftreten, wenn auf diesen Märkten der Wettbewerb beeinträchtigt ist, z.B. dadurch, daß diese Signalkosten (Reputationskosten) *versunkene Kosten* sind. Versunkene Kosten unterbinden nämlich den Marktzutritt potentieller Wettbewerber, weil sie im Falle eines möglichen späteren Ausscheidens aus dem Markt diese nicht mehr realisieren können. Wenn aber der potentielle Wettbewerb von Outsidern unterbunden und zudem die Wettbewerbsintensität unter den Inkumbenten schwach ist, dann eröffnet sich für letztere ein Handlungsspielraum zu Lasten ihrer Konsumenten, sei es, daß Qualität gesenkt oder überzahlt wird.

In diesem Rahmen ist es unmöglich, detailliert darzustellen, unter welcher Voraussetzung Koordinierungen sinnvoll und effizient sind. Eine solche Darstellung müßte technisch ins Detail gehen. Allerdings sollte aus dem oberen Beispiel deutlich werden, daß die Voraussetzungen hierfür sehr speziell sind, so daß man in der Vielzahl der Fälle auf den Markt vertrauen können wird. Aber wenn man schon Koordinierungen tatsächlich für notwendig erachtet, dann ist es allemal sinnvoll, sie international vorzunehmen, um zu vermeiden, daß sie als Instrument zur Protektion der heimischen Wirtschaft mißbraucht werden. Viele nationale oder EU-weite Standards, die vorgeblich der Sicherung von Qualität und Sicherheit dienen, stellen in Wahrheit ein nicht-tarifäres Handelshemmnis dar. Internationale Koordination verhindert diesen Mißbrauch und führt zu einer Intensivierung des Wettbewerbs, weil sie dessen Globalisierung fördert.

Es soll an dieser Stelle betont werden, daß es uns nicht darum geht, beliebige wirtschaftspolitische Eingriffe zu rechtfertigen. Noch ferner liegt es uns, für generelle Wettbewerbsbeschränkungen zu argumentieren. Es geht lediglich darum, darzulegen, daß dann und nur dann, aber immer dann, wenn bestimmte Marktimperfektionen vorliegen, der ungezügelte "Wettbewerb der Länder" in nationaler und internationaler Hinsicht zu ineffizienten Allokationen führen wird. In allen diesen Fällen wird ein internationaler Wettbewerb, der in *effiziente internationale Koordinierungen* eingebunden ist, gegenüber einer reinen Wettbewerbslösung überlegen sein. Daß das Design solcher

Koordinierungen weniger auf rechtliche Sanktionen als auf selbstbindende ökonomische Anreizmechanismen abstellen sollte, ist ein Gebot der Effizienz und der Durchsetzbarkeit.

4. Die verteilungspolitischen Konsequenzen eines unkoordinierten "Wettbewerbs der Länder"

In den bisherigen Ausführungen wurden fast ausschließlich Effizienzaspekte diskutiert. Die Frage wie sich der "Wettbewerb der Länder" auf die nationale, die internationale und die intergenerative Verteilung auswirkt, gilt es zumindest in Ansätzen zu erörtern. Wenn im folgenden über die Attraktivität bzw. Inattraktivität von bestimmten Verteilungen gesprochen wird, ist dies niemals in einem rein normativen Sinn gemeint. Vielmehr wird die (In)Attraktivität über die langfristigen und gesellschaftlichen Kosten (Ineffizienzen) beurteilt, die mit bestimmten Verteilungen verbunden sind.

Eine Intensivierung des "Wettbewerbs der Länder" zu Lasten einer internationalen Koordinierung wird die Auseinandersetzung um die internationale Verteilung des Reichtums mit einiger Wahrscheinlichkeit entzivilisieren. Dafür bieten aktuelle Auseinandersetzungen um die Eigentumsansprüche an Ressourcen sowie die Handelspolitik vielfältigen Anschauungsunterricht. Um gegenüber den Beteiligten fair zu bleiben, muß man jedoch zugestehen, daß diese Entwicklungen häufig Reaktionen auf Politikversagen bei der internationalen Koordinierung von Handelsabkommen und Eigentumskonventionen darstellen.

Wenn klare und allgemein akzeptierte Konventionen über Eigentumsrechte nicht vorliegen, erfolgt die Durchsetzung von Eigentumsansprüchen nicht selten mit unzivilen oder wenig zivilisierten Mitteln. Angesichts der Bevölkerungsexplosion und der damit einhergehenden weltweiten Verknappung lebensnotwendiger natürlicher Ressourcen sollte diese Art der Auseinandersetzung nicht einmal als Ultima ratio angesehen werden. Mit Sicherheit wird sich nämlich diese Art der Durchsetzung konfligierender Ansprüche als besonders ineffizient herausstellen.

Auf jeden Fall führt ein Defizit an politischer Koordinierung zu handelspolitischen Verwerfungen. Wir wissen aus der Zolltheorie, daß sich große Länder, deren Maßnahmen Einfluß auf das Preisgefüge auf den globalen Märkten haben, durch protektionistische Maßnahmen wenigstens kurzfristig partikuläre Vorteile verschaffen können. Freilich führen protektionistische Maßnahmen bereits kurzfristig zu weltweiten Effizienzverlusten, die in erster Linie zu Lasten der schwächeren Teilnehmer im internationalen Handel gehen. Langfristig wird allerdings auch ein großes Land mit großer Wahrscheinlichkeit Effizienzverluste realisieren, weil derartige Entwicklungen mit einiger Wahrscheinlichkeit eskalieren und schlimmstenfalls zu regelrechten Handelskriegen führen. Nun wird man natürlich einwenden, daß solchen Entwicklungen die eigenen wohlverstandenen Interessen aller Länder entgegenstehen. Demgegenüber muß man jedoch berücksichtigen, daß bereits die Vergeltung von vermeintlich existierenden Handelshemmnissen - ob berechtigt oder nicht - zu einer solchen Eskalation führen kann. In den vergangenen Jahren sind aufgrund der unzureichenden Koordination des GATT verschiedentlich Situationen eingetreten, die eine erhebliche Beeinträchtigung der internationalen Arbeitsteilung innerhalb der Triade befürchten lassen mußten. Welche Konsequenzen eine solche Entwicklung für die Weltwirtschaft allgemein, aber insbesondere für die Wirtschaft der BRD zeitigen könnte, müßte selbst jenen europäischen und außereuropäischen Politikern klar sein, die sich um die partikulären Interessen bestimmter Sektoren in der BRD, der EU und anderswo verdient machen.

Die Intensivierung des Wettbewerbs der Länder zu Lasten der politischen Koordinierung beeinflußt nicht nur die internationale, sondern auch die nationale Verteilung. Insbesondere paralysiert sie langfristig den nationalen Umverteilungsspielraum. Unabhängig von den Präferenzen der Bürger würde sich auch in diesem Fall eine Nivellierung nach unten durchsetzen.

Bei völliger Mobilität auf dem Arbeitsmarkt liegen Anreize zu einer länderweisen Segmentierung der Bevölkerung vor. Leute mit geringer

Leistungsfähigkeit würden unter ansonsten gleichen Bedingungen in jene Länder wandern, in welchen sie von Steuertarifen mit hohen Progressionen profitieren. Weil sie selbst geringe Einkommen haben, wären sie von der Progression nämlich nicht betroffen. Umgekehrt könnten sie an öffentlichen Gütern und den Transfers partizipieren, die mit den hohen Steuern der Leistungsfähigen in diesem Land finanziert werden. Umgekehrt hätten alle Leistungsfähigen, die von hohen Progressionen betroffen wären, einen Anreiz, in Länder mit niedriger Progression abzuwandern, wenn man von Philantropen absieht, die *freiwillig* hohe Steuer- und Transferzahlungen erbringen. Offenkundig könnte aufgrund dieses Screening-Effektes eine zweite Einkommensverteilung nicht finanziert werden.

Wenn die "Abstimmung mit den Füßen" unterbunden ist, kommt ein Prozeß der negativen Auslese über den politischen Wettbewerb in Gang. Da sich das Arbeitsangebot am Einkommen nach Steuern orientiert, wird das Angebot der Leistungsfähigen von ihren marginalen Steuersätzen abhängen. Je höher die Betroffenheit von Steuerprogressionen ist, um so geringer wird das Leistungsangebot sein. Es liegt auf der Hand, daß durch die Progression die Produktivität der immobilen Faktoren reduziert wird und ein Land unter Wettbewerbsdruck gerät, wenn andere Länder mit vergleichbarem Preis-Leistungs-Verhältnis bei anderen immobilen Faktoren auf eine ausgeprägte Steuerprogression verzichten. Wenn ein Land unter Wettbewerbsdruck gerät, muß die Steuerprogression nach unten nivelliert werden, es sei denn, es gelingt mit anderen Maßnahmen den Standort aufzuwerten.

Eine ausgeprägte zweite Einkommensverteilung können sich nur Länder mit einem dynamischen Produktivitätsvorsprung leisten. Eine Politik der Einkommensumverteilung steht zu jedem Zeitpunkt auf dem Prüfstand der Wettbewerbsfähigkeit, weil sie ohne Wettbewerbsfähigkeit auch nicht darstellbar ist. Zweifler seien auf die Neuen Bundesländer verwiesen. Neben den ökonomischen Sünden - falscher, weil administrierter Umtauschkurs, Treuhand, ineffiziente Eigentumsrechte, etc. -, die die *einmaligen* Kosten der Umstellung unnötig in die

Höhe getrieben haben, besteht auf absehbare Zeit das Problem einer erheblichen Inkongruenz von Einkommen und Produktivität. Selbst wenn im Wettbewerb nur jene privaten Unternehmen bestehen werden, die die Produktivität erhöhen und die Faktorentgelte erwirtschaften können, wird ein Mißverhältnis zwischen der Wertschöpfung der Beschäftigten und den Einkommen der Gesamtbevölkerung auf lange Zeit bestehen bleiben. Jenseits der bestimmt nicht unproblematischen Lohnpolitik besteht die Schwierigkeit, daß das Sozialsystem eines der reichsten und produktivsten Länder der Welt mit allen seinen zahlreichen redistributiven Momenten und all seinen bürokratischen Ineffizienzen, einem Land mit der Produktivität eines mittleren Entwicklungslandes übergestülpt wurde. Die Kritik an dieser Vorgehensweise dürfte neben rein persönlichen Interessen, die natürlich mindestens genauso legitim sind, vor allem durch die Einsicht motiviert sein, daß eine derartige Redistribution angesichts des enormen internationalen Wettbewerbsdrucks auch für die Alten Bundesländer nicht mehr darstellbar ist.

Für uns stellt sich allerdings die Frage, ob diese an sich zutreffende Betrachtungsweise nicht allein auf die Aspekte der statischen Wettbewerbsfähigkeit abstellt und die dynamischen Determinanten der Wettbewerbsfähigkeit außer acht läßt. Ein Verzicht auf Redistribution würde zweifellos den Trend zur disparitären Einkommensverteilung erheblich verstärken. Jenseits aller humanitären, ethischen oder religiösen Präferenzen für eine Umverteilung, die möglicherweise nur auf eine Minderheit beschränkt sind, stellt sich für die Gesellschaft als Ganzes die Frage nach den langfristigen Konsequenzen einer solchen Entwicklung.

Die Erfahrungen in Ländern, die geringfügige Umverteilungen vornehmen und sehr disparitäre Einkommensverteilungen aufweisen, geben Anlaß zur Vorsicht. Zum einen führt die Verarmung großer Teile der Bevölkerung zur Verslummung großer Teile der Agglomerationen mit allen sozialen Kosten, die damit einhergehen, angefangen von einem Klima des Fatalismus und des Vandalismus bis hin zu schwerer Kriminalität. Wenn kriminelle Aktivitäten zu den wenigen erschließbaren und einträglichen Revenuequellen gehören, wird es Ökonomen nicht überraschen, wenn gerade die mobilsten und fähigsten der Jugendlichen entsprechende Karrieren einschlagen. Da von den kriminellen Aktivitäten erhebliche negative externe Effekte für die gesamte Bevölkerung in den Agglomerationen ausgehen, entsteht ein enormer Bedarf an Leistungen für Innere Sicherheit. Soweit die öffentlichen Institutionen diesen nicht befriedigen können, wird er auch private Kosten induzieren. Wenngleich diese Kosten angesichts der individuell nicht beeinflußbaren Situation natürlich gemäß den Präferenzen getragen werden, werden sie in Wahrheit unproduktiv verausgabt. Ausgaben für Innere Sicherheit haben konsumtiven Charakter, gleichgültig ob es sich um private oder öffentliche Ausgaben handelt. Sie haben überdies den Charakter von Transaktionskosten, die um so höher sind je disparitärer die Einkommensverteilung ist. Aus dieser ökonomischen Sicht ist auch die Zunahme der Kriminalität in Europa zu verstehen.

Noch dramatischer sind die indirekten dynamischen Kosten dieser Entwicklung. In den betroffenen Teilen der Bevölkerung bleibt die Entwicklung von Humankapital weitgehend auf der Strecke, weil die Sozialisation die Entwicklung myopischer Präferenzen fördert und die benötigten finanziellen Mittel meist nicht verfügbar sind. Dies bedeutet, daß bei weiten Teilen der Bevölkerung die Basis für eine Steigerung ihrer Produktivität fehlt. Überspitzt und ein wenig zynisch könnte man sagen, daß sich in den deprivilegierten Agglomerationen der technische Fortschritt auf das Erlernen neuer Konsumtechnologien und die Technologie der Kriminalität beschränkt. Die Chancen für sozialen Aufstieg sind für große Teile der Bevölkerung so gering, daß sich für risikoscheue Individuen finanzielle, zeitkonsumierende und psychische Anstrengungen, die für die Formation von Humankapital erforderlich sind, nicht lohnen. Die Konsequenz ist, daß erhebliche Teile der Bevölkerung am Aufstiegswettbewerb nicht teilnehmen (können). Und natürlich stellt sich die Frage, ob nicht gerade diesem Wettbewerb für die Bildung von Leistungseliten eine zentrale Bedeutung zukommt.

Vor diesem Hintergrund sind die geringen gesamtwirtschaftlichen Produktivitätssteigerungen mancher Länder nachvollziehbar. Es stellt sich sogar die Frage, ob nicht die disparitären Entwicklungen der Einkommensverteilung in einem ursächlichen Zusammenhang zu den langfristig signifikant geringeren Produktivitätssteigerungen stehen, die wir in manchen sehr individualistisch orientierten Gesellschaften beobachten. Man muß immerhin konstatieren, daß in den letzten 50 Jahren die durchschnittliche Produktivitätssteigerung einiger dieser Länder um ca. 50% hinter der durchschnittlichen Produktivitätssteigerung anderer Länder zurückgeblieben ist. Diese Entwicklung mag viele Ursachen haben, Fakt bleibt, daß unter den Industrieländern die Hitliste der Produktivitätssteigerung von Ländern angeführt wird, die in mehr oder webiger großem Umfang Redistribution betreiben.

Wenn es wahr ist, daß disparitäre Entwicklungen der Einkommensverteilung zwangsläufig enorme private, soziale, mittel- und langfristige Kosten verursachen, dann stellt sich in unseren Augen die Frage, ob nicht die Ineffizienzen der Redistribution in Wahrheit dem Minimum der Gesamtheit aller privaten und sozialen Kosten entsprechen. Selbstverständlich wird es Teile der Bevölkerung geben, für welche die privaten Kosten der Redistribution größer sind als die Kosten, die auf sie in einem System ohne Redistribution entfallen. Dieses Verteilungsproblem ist nicht wegzudiskutieren. Zu befürchten ist allerdings, daß der "Wettbewerb der Länder" zu einer Verdrängung der Redistribution führt, weil dies kurzfristig Kosten und Ineffizienzen spart, daß aber dadurch mittel- und langfristig in viel größerem Ausmaß Ineffizienzen, private und soziale Kosten geschaffen werden.

Aber weil die Redistribution und das Sozialsystem, über das sie abgewickelt wird, zu jedem Zeitpunkt auf dem Prüfstand der Wettbewerbsfähigkeit stehen, muß die gesamte Gesellschaft, aber insbesondere jene Individuen und gesellschaftlichen Gruppen, die Präferenzen für bestimmte Redistributionen haben, für eine effiziente Ausgestaltung des sozialen Systems optieren. Gelegentlich gewinnt man auch als benevolenter Beobachter den Eindruck, daß das Sozialsystem in nicht unerheblichem Ausmaß redistributiven Charakter zu Gunsten der darin Beschäftigten aufweist.

Dies führt uns zu der Frage, ob ein ungezügelter "Wettbewerb der Länder" nicht zu intergenerativen Umverteilungen zu Lasten zukünftiger Generationen führt. Die dramatische Zunahme der Verschuldung der öffentlichen Hände in beinahe allen Industrieländern mahnt uns, diese Problematik nicht zu bagatellisieren. Der Kern des Problems besteht darin, daß für die Politiker ein Anreiz besteht, die internationale Wettbewerbsfähigkeit des Standorts und ihre eigene politische Wettbewerbsfähigkeit durch eine intergenerative Umverteilung zu Lasten künftiger Generationen zu erhalten.

Auf der einen Seite müssen sie zu jedem Zeitpunkt die Wettbewerbsfähigkeit des Standorts erhalten. Um diese zu sichern, stellen sie den Anbietern mobiler Faktoren bestimmte öffentliche Investitions- und Konsumgüter zur Verfügung. Die Höhe dieser Ausgaben können sie nur bedingt beeinflussen, weil sie letztlich durch den internationalen Wettbewerb vorgegeben wird. Aus dieser Sicht bietet die private Bereitstellung dieser Güter, selbst wenn sie durch geeignete Handhabung des öffentlichen Gut-Problems überhaupt in ausreichendem Ausmaß erfolgt, keinen wirklichen Ausweg. Bei privater Bereitstellung dieser Güter erhöhen sich nämlich für die mobilen Faktoren die Benutzungskosten der immobilen Faktoren eines Landes, was natürlich die Wettbewerbsfähigkeit eines Standorts beeinträchtigt. Aus den nämlichen Gründen kann die Finanzierung dieser öffentlichen Güter auch nicht oder nur sehr beschränkt durch eine Besteuerung der immobilen Faktoren erfolgen.

Auf der anderen Seite geraten die Politiker unter den Druck des politischen Wettbewerbs, wenn sie versuchen, dieses Problem zu Lasten der *wahlberechtigten* Eigner immobiler Faktoren zu lösen. Eine Lösung zu Lasten der immobilen Faktoren kann entweder durch zusätzliche Abgabenlasten oder durch eine - qualitativ oder quantitativ - schlechtere Versorgung mit öffentlichen Gütern erfolgen. Soweit diese Belastungen wahlberechtigte Bürger betreffen, werden sie allerdings die Chancen der Politiker auf ihre Wiederwahl verringern. Weil aber die Politiker im politischen Wettbewerb - je nach Wahltermin - auch unter kurz- bis mittelfristigem Erfolgsdruck stehen, existiert der Anreiz, das Problem zu Lasten jener Faktoren zu lösen, deren Eigner nicht am politischen Prozeß beteiligt sind. In erster Linie sind dies die Faktoren zukünftiger Generationen oder Faktoren, für welche die Eigentumsrechte nicht oder unzureichend definiert sind. Letzteres trifft auf viele Naturressourcen, z.B. auf Umwelt, Süßwasserreserven, Luftqualität, etc. zu. Die übermäßige Nutzung dieser natürlichen Ressourcen geht aber natürlich ebenso zu Lasten künftiger Generationen wie eine Überwälzung der Lasten durch die Erhöhung der öffentlichen Verschuldung. Der Raubbau an Naturressourcen in Ländern, die unter einem extremen Wettbewerbsdruck stehen, sowie die weltweit dramatisch wachsende Verschuldung der öffentlichen Hände dokumentieren vielfach, daß derartige Anreize auch wirksam werden. Appelle von Individuen und Institutionen mit langfristigem Zeithorizont werden an dieser Entwicklung nichts ändern, da die Anreiz- und Wettbewerbsstruktur des politischen Wettbewerbs so beschaffen ist, daß myopische Interessen zum Tragen kommen. Nur internationale Koordinationen über die Beschränkung von Naturbelastungen und die fiskalische Inanspruchnahme künftiger Generationen können diese intergenerativen Umverteilungen effizient gestalten.

Schließlich möchten wir noch auf einen Aspekt hinweisen, der sich nur mittelbar auf ökonomisches Geschehen bezieht, der aber Form und Ritual der "(Um-)Verteilungsdiskussion" betrifft. Die Standortdebatte hat bei weiten Teilen der Gesellschaft die Erkenntnis reifen lassen, daß verschiedene Fehlentwicklungen in der bundesrepublikanischen Ökonomie korrigiert werden müssen. Selbst die relevanten Interessengruppen konzedieren grundsätzlich eigenen Handlungsbedarf. Bei der Umsetzung der Korrekturen und der Verteilung der Korrekturlasten versuchen sie allerdings regelmäßig *free-rider*-Positionen einzunehmen. Nicht selten wird dadurch die öffentliche Standortdebatte trivialisiert. Sie beschränkt sich häufig auf wechselseitige Schuldzuweisungen in wechselnden Koalitionen zwischen Arbeitnehmern, Arbeitgebern, deren Interessenverbänden sowie den Vertretern der politischen Institutionen. Nun mögen diese Formen des gesellschaftlichen "Schwarzen-Peter-Spiels" im Rahmen der tariflichen Verhandlungsspiele und der politischen Rhetorik eine bestimmte Funktion haben. Für die Lösung der ökonomischen Probleme sind sie in unseren Augen wenig hilfreich, weil in dieser Art von Debatten Effizienzfragen völlig von vordergründigen Verteilungsfragen dominiert werden. Nicht selten werden dabei Illusionen über die Beeinflußbarkeit der funktionalen Einkommensverteilung gepflegt. Und schließlich führt die solchen Debatten eigene Ideologisierung häufig zu einem gesellschaftspolitischem Klima, das die ohnedies prekäre Diskussion über die Sinnhaftigkeit und die Notwendigkeit von Korrekturen der personalen Einkommensverteilung irrationalisiert.

Demgegenüber können die folgenden Beiträge zu einer Versachlichung der Diskussion um den Wirtschaftsstandort Bundesrepublik beitragen. Dies gilt nicht zuletzt für die Diskussion über die Notwendigkeit einer Korrektur der Verteilungspolitik. Die Autoren widerstehen weitgehend der Versuchung, die Ursachen für die Standortkrise im "Fehlverhalten anderer sozialer Gruppen" zu suchen. Weder in der durchaus selbstkritischen Diagnose noch bei den Vorschlägen für die Verteilung der Lasten der Therapie sparen sie die eigene Klientel (soziale Gruppe) aus. In diesem Sinne bieten sie wichtige Beiträge für eine konstruktive wirtschafts- und gesellschaftspolitische Debatte über Reformvorhaben, die geeignet und notwendig sind, um den Wirtschaftsstandort Bundesrepublik aufzuwerten.

Referenzen

Sinn, Hans-Werner, (1990), The Limits to Competition among Economic Regimes, Empirica, 17(1), 3-14.

Der Industriestandort Deutschland
in einem zusammenwachsenden Europa

Heinrich Weiss

Standort Deutschland

Schon lange vor der Wiedervereinigung, etwa seit 1987, haben die Industrie und die Wirtschaftsverbände das sogenannte Standortthema aufgegriffen. Damals ist es von der Politik nicht ernstgenommen worden. Der ökonomische Druck fehlte, da sich Deutschland in der längsten Boomphase der Nachkriegsgeschichte befand. So ist es versäumt worden, in dieser Zeit die Hausaufgaben zu machen und die Konkurrenzfähigkeit der westdeutschen Wirtschaft im vollen Umfang zu erhalten, so daß sie heute die Aufgaben, vor denen sie steht, besser bewältigen könnte.

Immerhin ist nun das Thema "Standort" Wahlkampfthema. Der Bundeskanzler hat sich dem angenommen, und es besteht die Hoffnung, daß damit ein Klima geschaffen wird, in dem die Wirtschaftspolitik sachkundiger als in den vergangenen Jahren ausgeübt wird.

Bei einem Exportanteil, der in Deutschland 33% des Bruttosozialprodukts erreicht (mehr als doppelt soviel wie in Japan), ist der Maschinenbau die größte deutsche Exportbranche. Der Maschinenbau wird aber getragen von mittelständischen Unternehmen mit einer durchschnittlichen Mitarbeiterzahl, die nur bei etwa 300 liegt. Das zeigt, wie sehr das Thema "Standort Westdeutschland" auch und insbesondere den Mittelstand betrifft, dessen Lage durchaus nicht nur von den Bedingungen "vor Ort", sondern sehr wohl auch von der Frage beeinflußt wird, ob die internationale Wettbewerbsfähigkeit gegeben ist.

Gründe für das Zurückfallen der deutschen Wettbewerbsfähigkeit

Zunächst einmal sind viele Qualitäten, die früher untrennbar mit einem Standort verbunden waren, heute auch an andere Standorte transferierbar. Güter, für die man früher, wenn sie aus Deutschland geliefert wurden, einen höheren Preis bezahlt hat, können heute in anderen Ländern mit gleicher Qualität, aber zu geringeren Kosten hergestellt werden. Früher war es undenkbar, daß Mercedes-Benz Personenwagen im Ausland herstellt, weil das "Made in Germany" die einzige Möglichkeit war, den hohen Preis zu rechtfertigen. Heute rückt man davon ab und sagt: Nicht entscheidend ist das "Made in Germany", sondern entscheidend ist das "Made by Mercedes".

Die Miniaturisierung der Produkte (z.B. Mikrochips) verringert darüber hinaus in vielen Bereichen die Bedeutung der Distanz zwischen Produktionsstandort und Absatzmarkt. Deutschland konkurriert heute als Standort nicht nur mit den nahen Billiglohnländern im Osten, sondern auch direkt mit Ländern wie Taiwan, Südkorea und Singapur. Die Hauptverantwortung für den Verlust von Wettbewerbsfähigkeit ist jedoch in Fehlentwicklungen in der Lohn-, in der Sozial- und in der Fiskalpolitik zu suchen:

1. Das Lohnniveau ist zu hoch und die Arbeitszeiten sind zu kurz

In Westdeutschland haben sich die Lohnstückkosten gegenüber der ersten Hälfte der achtziger Jahre mehr als verdoppelt. In den USA waren es dagegen nur 3,6%, d.h. die eigentlichen nominalen Kosten haben sich fast im Rahmen des Produktivitätzuwachses bewegt, in Japan 7,4% und in Frankreich 11,4%. Vor diesem Hintergrund ist es unverständlich, warum gerade nach der Wiedervereinigung und nachdem klar wurde, daß besondere finanzielle Lasten auf uns zukommen werden, in

Westdeutschland die Tarife stärker erhöht wurden, als in den Jahren des Booms zuvor.

Westdeutschland liegt heute bei den Lohnstückkosten um 20 bis 25% über allen wichtigen Konkurrenzländern, wie Japan oder die USA oder die wichtigsten europäischen Konkurrenten. Nur in Dänemark sind die Lohnstückkosten höher (110% der westdeutschen) - wenn man die ostdeutschen Lohnstückkosten, die statistisch nicht vergleichbar sind, nicht berücksichtigt.

Das Resultat ist offensichtlich. Die beschäftigungsintensiven Industrien verlagern zunehmend ins Ausland, wobei der Billigarbeitsmarkt Osteuropa eine besonders starke Sogwirkung hat.

Beim Thema Arbeitszeit zeigt ein Beispiel von Siemens, daß der Arbeitszeitunterschied zwischen einem japanischen Ingenieur und einem deutschen Ingenieur dazu führt, daß innerhalb von 10 Jahren die Japaner eine ganze Computergeneration weiter sind als die Deutschen. Hintergrund: Heute rechnet man alle drei Jahre eine neue Computergeneration.

Welche Ansatzpunkte bieten sich, um Abhilfe zu schaffen? Wir müssen die Tarifvereinbarungen, soweit sie überzogen waren, nachträglich reparieren. Erstmals wurde Ende 1993 ein Tarifvertrag von der Arbeitgeberseite gekündigt - bis dahin kamen die Kündigung und die neuen Forderungen immer von der Gewerkschaftsseite. War der Ansatz hoch, dann gab es gar keine Möglichkeit, als einen gewissen Weg entgegenzukommen. Dieser Weg war vor allem in Westdeutschland in den letzten drei Jahren viel zu weit. Eine nachträgliche Reparatur der Tarifvereinbarungen ist schmerzhaft. Wir müssen aber bei zukünftigen Tarifvereinbarungen eine ganz andere Grundhaltung an den Tag legen. Die letzten Tarifvereinbarungen bei Chemie und Metall zeigen die Einsicht der Tarifpartner, daß hier eine neue Richtung eingeschlagen werden muß.

Weiterhin muß auch über eine Verlängerung der Lebensarbeitszeit nachgedacht werden. Ein akademischer Mitarbeiter kommt heute in Deutschland oft erst mit 30 Jahren in den Arbeitsprozeß, mit 60 schon wird er wieder pensioniert, d.h. bei Akademikern haben wir etwa drei gleich große Gruppen im Volk: Die der nicht zum Sozialprodukt beitragenden Auszubildenden, das Drittel derer, die zum Bruttosozialprodukt beiträgt, und das Drittel der Pensionäre. Das ist bedenklich und zeigt, wie wichtig es ist, gerade über die Frage der Lebensarbeitszeit nachzudenken.

Ein weiterer Punkt betrifft die in Deutschland sehr hohe Krankenquote. Wir haben bei uns selbst in gutgeführten Betrieben noch immer Krankenquoten, die weit über dem liegen, was die medizinische Forschung für angemessen hält. Hier verbergen sich Mißbrauch und damit enorme Rationalisierungsreserven, die genutzt werden müssen.

2. Die öffentliche Verwaltung ist überbürokratisiert und ineffizient

In Ostdeutschland ist die teilweise überperfektionierte, aber in großen Teilen auch noch nicht funktionierende Bürokratie inzwischen zum Hauptinvestitionshemmnis geworden. Eine schnelle Steigerung der Verwaltungsflexibilität ist hier unbedingt erforderlich. Aber auch in Westdeutschland sind - gerade wenn wir über dringend notwendige Einsparungen von Staatsausgaben sprechen - die Rationalisierungsreserven, die in der öffentlichen Verwaltung verborgen sind, sicherlich ein Hauptansatzpunkt.

In den Unternehmen müssen wir alle fünf bis acht Jahre unseren Gemeinkostenapparat durchgehen und finden jedesmal 10 bis 20% Kostenersparnisse. Während die Unternehmen ständig ihre Rationalisierungspotentiale ausschöpfen müssen, um im internationalen Wettbewerb konkurrenzfähig zu bleiben, werden bei der Bundesverwaltung, den Länder- und den Gemeindeverwaltungen solche Rationalisierungen wenig oder gar nicht vorgenommen. Das hier aufgelaufene Reservoir von Rationalisierungsmöglichkeiten muß zur Bewältigung der aktuellen Situation genutzt werden. Nicht zuletzt sind die Politiker nur Treuhänder der Bürger und der Steuerzahler. Treuhänderisches Wirtschaften bedeutet aber solides und vertrauenswürdiges Wirtschaften mit den ihnen anvertrauten Geldern. Damit ist Verschwendung nicht abgedeckt.

Bei der Rationalisierung müssen die oberen Ebenen mit gutem Beispiel vorangehen. Das heißt, daß man zunächst mit ganz sichtbaren Dingen beginnen muß, z.B. Zusammenlegung bestimmter Bundesministerien oder Reduzierung der parlamentarischen Staatssekretäre. Dann kann man den Ländern und den Gemeinden gegenübertreten, die ihrerseits ihren Beitrag zur Einsparung leisten müssen.

Die hohe Staatsverschuldung und die hohe Staatsquote lähmen die wirtschaftliche Dynamik. Die Staatsverschuldung hat inzwischen fast 50% des Bruttosozialproduktes erreicht. Allein die Zinsen der Schulden erreichen inzwischen eine Höhe, die sie nach der Abrüstung und nach der Reduzierung der Verteidigungskosten zum zweitgrößten Posten im Bundeshaushalt hinter dem Sozialhaushalt werden lassen. Einerseits bindet die Verwaltung, die Unterstützung und die Umverteilung des Schuldenberges immer mehr Kräfte des Staates, andererseits schränkt der Zinsendienst die politische Handlungsfähigkeit erheblich ein. Klassische Mittel, um aus der Rezession herauszukommen (Senkung der Unternehmenssteuern, Investitionsfördermittel), können nicht eingesetzt werden, weil der Staat es versäumt hat, rechtzeitig die Ausgaben, die durch den ostdeutschen Strukturumbruch auf ihn zukommen, in Westdeutschland einzusparen. Darüber hinaus demotivieren wir unsere Leistungsträger - dazu gehören auch die gut verdienenden Facharbeiter - durch eine Abgabenquote von 44%; in Japan, ebenso wie in den USA, beträgt diese Quote etwa 30%.

Bei der heutige Staatsquote von über 50% am Bruttosozialprodukt (Japan: 32%, USA 36%) behindert der Staat die Entwicklung der Volkswirtschaft viel mehr als daß er sie fördert. Der Staatsanteil konnte in den 80er Jahren, als die Regierung Kohl sehr erfolgreich ihre marktwirtschaftliche Politik betrieb, auf 46%, sogar fast auf 45% reduziert werden. Jetzt haben wir durch die Wiedervereinigung zwangsläufig die 50% überschritten, ohne die Perspektive, daß die Anteile mit aktiven Maßnahmen der Regierung wieder zurückgefahren werden.

Wir müssen öffentliche Aufgaben privatisieren. Nicht nur, weil es kundenfreundlicher ist und weil diese Dienstleistungen dann auch meistens effizienter angeboten werden, sondern auch, um die Staatsquote zu vermindern. Der Privatisierungsprozeß ist jedoch bisher in Westdeutschland nur sehr halbherzig vorangekommen. Die erste Regierungserklärung Kohl von 1982 listete zwar bereits sehr umfangreiche Privatisierungsvorhaben auf - von denen ist jedoch nur ein kleiner Teil bisher realisiert worden. Immerhin hat das, was bisher privatisiert worden ist, 10 Mrd. DM Einnahmen gebracht, aber was viel wichtiger ist: Es sparte 73 Mrd. DM Ausgaben in Form von Verlusten, die man aus den Betrieben vorher übernehmen mußte. Eine renommierte deutsche Unternehmensberatung hat ausgerechnet, daß eine wirklich komplette Privatisierungsoffensive, d.h. die Privatisierung aller Tätigkeiten, die nicht hoheitliche Aufgaben sind, die öffentliche Hand in einer Größenordnung von etwa 500 Milliarden DM entlasten könnte - das wäre das erreichbare Ziel.

3. Rückstände im Innovationswettbewerb

Dieses Thema geht zu Lasten der Unternehmer. Nicht nur die staatlichen Rahmenbedingungen sind an unseren Problemen schuld, auch viele Unternehmen waren - genauso wie die Politiker - in den guten Zeiten nicht genügend wachsam, um sich für schlechte Zeiten vorzubereiten. Vor allem unsere Rückstände in den Schlüsselbereichen Informationstechnik, Halbleiter, Unterhaltungselektronik, Werkstofftechnik usw. sind von den Unternehmen selbst verschuldet.

Die Forschungsausgaben der deutschen Unternehmen sind seit 1989 kontinuierlich gesunken. Fast 90% der betrieblichen Forschungsaufwendungen entfallen auf bereits entwickelte Produkte, das ist eine unter Industrieländern ganz ungewöhnlich hohe Quote. Bei den Patentanmeldungen im Mikroelektroniksektor haben wir 1992 181 Anmeldungen aus Deutschland, 1.671 aus USA und 23.082 aus Japan. Diese Zahlen sind in jedem Fall bezeichnend.

Das Bundesministerium für Forschung und Technologie hat kürzlich eine Umfrage über die Stärken und Schwächen in der Forschung der einzelnen Industrieländer gemacht. Deutschland hat danach besondere Stärken in der Umwelt-/Energietechnik, im Städtebau, in der Architektur, Landwirtschaft und im Verkehr. Die USA in der Raumfahrt, Medizin, Kommunikation, und Biotechnik. In Japan ist es die Elektronik, Informationstechnik, Kommunikation und Werkstofftechnik. Das heißt, unsere Hauptkonkurrenten sind, mit Ausnahme des Umweltschutzes, führend in den Zukunftstechnologien und das sollte uns ebenfalls zu denken geben.

Es muß jetzt die Zeit genutzt werden, um Grundsätzliches zu ändern. Der soziale Konsens ist nach wie vor einer unserer positiven Standortfaktoren, auch wenn er vor allem in den mitbestimmten Unternehmen zu vielen Kompromissen führt, die unwirtschaftlich sind. Aber auch wenn man dies berücksichtigt: die Mitbestimmung hat ihre Vorteile. Aber sie führt eben dazu, daß in Boomzeiten strukturelle Veränderungen schwierig sind. Deshalb muß die Zeit jetzt genutzt werden, um Unternehmensstrukturen ganz grundsätzlich zu ändern, Verkrustungen aufzubrechen und die Unternehmen fit zu machen, zum Durchstarten für den nächsten Boom. Dazu gehört die Dezentralisierung der unternehmerischen Verantwortung, dazu gehört die stärkere Nutzung der Kreativität der Mitarbeiter, und die Nutzung der stärkeren Eigenverantwortung. Gerade junge Mitarbeiter fiebern ja oft danach, mehr Verantwortung zu übernehmen. In internationalen Großkonzernen ist es längst üblich, daß man das Unternehmen im Unternehmen schafft, so daß auch Angehörige des Mittelmanagements wie in einem mittelständischen Unternehmen eine für sich eigenständige Unternehmenseinheit führen können. Dies ist ein Punkt, den gerade die Großindustrie jetzt nutzen sollte.

Was den Mittelstand betrifft: Die kleinen und mittleren Firmen sind das Rückgrat der Volkswirtschaft. Und sie sind am ehesten in der Lage, ihre Strukturen und Organisationen zu ändern, sich anzupassen. In dieser Flexibilität liegt ein Wettbewerbsvorteil des Mittelstandes, den dieser gerade in der aktuellen Umbruchsituation ausspielen muß.

Die gesellschaftspolitische Dimension der Strukturkrise

Die Bewältigung der Strukturkrise kann nicht allein mit klassischen volkswirtschaftlichen Rezepten gemeistert werden. Die Wurzel liegt in der Gesellschaftspolitik. Ich bin froh, daß die Bundesregierung und der Bundeskanzler dieses Phänomen, das die Industrieverbände seit Jahren vortragen, jetzt aufgegriffen haben, und daß der Bundeskanzler seit etwa einem halben Jahr auch die gesellschaftspolitische Dimension dieser Wirtschaftskrise begreift.

Wir brauchen eine politische Führung zur Umkehr von einer Anspruchs-, hin zur Leistungsgesellschaft. Wir brauchen den Abbau des Mißbrauchs der Sozialsysteme, der einen ganz erheblichen Anteil der Sozialausgaben verschlingt. Wir brauchen einen neuen Pioniergeist mit weniger Technologiefeindlichkeit und wir brauchen letzten Endes wieder die Betonung des Leistungsprinzips. Wir brauchen zur Standortsicherung den nationalen Konsens aller gesellschaftlichen Gruppen - Staat, Unternehmen und Tarifparteien. Das ist wesentlich mehr als das, was unter dem Stichwort "Solidarpakt" zum Ausdruck gekommen ist. In den Unternehmen können wir zu dieser Konsensbildung beitragen, in dem wir vorleben, handeln und führen und vielleicht damit auch der Politik ein Vorbild geben, wie wir in unserer kleinen Einheit - trotz im Augenblick nicht optimaler Rahmenbedingungen - erfolgreich arbeiten.

Standort Deutschland im Standort Europa

Die Standortdebatte darf nicht nur für Deutschland isoliert betrachtet werden, sondern die deutsche Wirtschaft und ihre Wettbewerbsfähigkeit muß auch im europäischen Kontext gesehen werden.

Der mit der Jahreswende entstandene europäische Wirtschaftsraum (EWR) ist heute die größte zusammenhängende Wirtschaftszone und nimmt eine Schlüsselbedeutung in der Weltwirtschaft ein. Innerhalb dieses europäischen Wirtschaftsraums kommt Deutschland wiederum bei einem Anteil des EWR-BIP von 24% eine Schlüsselrolle zu. Der Standort Deutschland ist im Standort Europa bereits weitgehend integriert. 71% unserer Exporte gehen in die EWR - Länder. Deutschland ist auch der größte Investor im europäischen Wirtschaftsraum mit 30% der Gesamtinvestition in Europa, d.h. 78% der deutschen Direktinvestitionen gehen in europäische Länder.

Die Vollendung des europäischen Binnenmarktes erweist sich dagegen als schwieriger als noch vor einem Jahr erwartet. Die Vorteile des freien Warenverkehrs ohne Grenzformalitäten kommen erst langsam zum Zuge. Sie werden durch die Verlagerung der Mehrwertsteuergrenzen in die Betriebe weitgehend kompensiert.

Nutzen des Europäischen Binnenmarktes

Welcher Nutzen ergibt sich daher noch aus dem Binnenmarkt? Die Industrie erhofft sich Kostenvorteile durch Deregulierungen, z.B. in der Energiewirtschaft. Wir haben völlig überhöhte Energiepreise in Deutschland, verglichen mit vielen unserer europäischen Konkurrenten. Durch die Liberalisierung des Energiemarktes, des Transportwesens sowie Luftverkehr, Straßenverkehr, Eisenbahnverkehr und durch die Privatisierung der Telekommunikation bis hin zu den Versicherungen und allgemeinen Dienstleistungen lassen sich in den nächsten Jahren sicherlich Kostenvorteile realisieren. Gleichzeitig entsteht mehr Konkurrenz, dies gilt vor allem für den Dienstleistungssektor. Vorteile bestehen besonders für die Verbraucher, die von dem verstärkten Wettbewerb profitieren werden.

Der verschärfte Wettbewerb ist für die betroffenen Firmen gleichzeitig auch eine Art Fitnesskur; sie sind gezwungen zu rationalisieren. Erhöht sich dann im europäischen Zusammenhang die Wettbewebsfähigkeit, bedeutet das für diese Unternehmen automatisch, daß sie auch im internationalen - im globalen Zusammenhang - konkurrenzfähiger geworden sind.

Europäische Verwaltung: Ein Faß ohne Boden

Auf der anderen Seite entsteht zusätzlicher Aufwand durch Verwaltung und Bürokratie. Die Kosten für die Verwaltung in Brüssel steigen massiv an. Wenn die bereits vorhandene hohe Steuerquote nicht noch weiter steigen soll, müssen die Kosten für die europäische Verwaltung auf nationaler Ebene eingespart werden, d.h. wann immer eine Verwaltungskompetenz nach Brüssel gegeben wird, muß die entsprechende Verwaltungsstelle auf Bundes-, Landes- und Kommunalebene in Deutschland abgeschafft werden. Es wird z.B. ein Kartellamt in Brüssel errichtet und bezahlt, ohne daß das deutsche Kartellamt entsprechend verkleinert wird.

Hinzu kommt, daß die Kostenkontrolle auf europäischer Ebene weithin fehlt. Das Nettogehalt eines Hausboten in Brüssel ist 2- bis 3mal höher, wie das eines Boten in einer entsprechenden nationalen Funktion. Die Aktivitäten der EG-Kommission entwickeln eine gewisse finanzielle Eigendynamik, wobei eine wirksame parlamentarische Budgetzuweisung und Kostenkontrolle bisher fehlt.

Korrektur bei der Europäischen Währungsunion

Natürlich wird Europa wirtschaftlich und politisch immer mehr zusammenwachsen, insofern weisen die Maastrichter Beschlüsse in die richtige Richtung. Natürlich werden wir irgendwann die Vereinigten Staaten von Europa haben. Churchill hat das schon 1946 in Zürich bei einem Treffen der Alliierten nach dem Zweiten Weltkrieg gesagt. Wichtig ist hierbei jedoch, daß dieser Prozeß in Stufen erfolgt, die harmonisch sind, die organisch ablaufen und vor allem dem Bürger von Vorteil sind.

Die Voraussetzungen für eine europäische Währungsunion sind jedoch derzeit noch nicht gegeben. Einerseits wird selbst Deutschland als stärkste Wirtschaftskraft die Konvergenzkriterien der Währungsunion in absehbarer Zeit nicht erfüllen können. Andererseits ist nicht nur eine Harmonisierung der Wirtschafts- und Finanzpolitik der Mitgliedsstaaten, sondern auch eine gemeinsame Auffassung in der Industrie-, Agrar- und Außenhandelspolitik und nicht zuletzt der Außenpolitik notwendige Voraussetzung für eine Währungsunion. Es ergab sich ja fast eine ironische Situation, daß kurz nach den Maastrichtverträgen, in denen diese überhastete Währungsunion sogar terminlich fixiert wurde, das EWS auseinanderplatzte, nachdem Italien und England austraten.

Dieser Zusammenbruch des EWS war sehr hilfreich, weil es allen Politikern, vor allem auch in Frankreich, die ja sehr auf die Währungsunion gedrängt haben, klar gemacht hat, daß der vorgegebene Terminautomatismus vollkommen utopisch ist. Die gemeinsame Währung kann nur der letzte Stein bei der Errichtung eines europäischen Hauses sein. Die Zeit ist dafür noch nicht reif.

Freier Welthandel: Voraussetzung für Wirtschaftswachstum

Die Europäische Gemeinschaft ist mit einem Anteil am Welthandel von über 40% die bedeutendste Handelsregion der Welt. Der große EG-Binnenmarkt sollte als Chance für die europäischen Unternehmen gesehen werden, die ihre Markt- und Wettbewerbskräfte stärkt und sie für den Wettbewerb auf den Weltmärkten konkurrenzfähig macht. Deshalb darf der Abbau der Grenzen im Innern nicht durch Aufbau von Handelshürden nach außen ersetzt werden. Die EG darf sich nicht nach außen verschließen. Wirtschaftspolitisch müssen Rahmenbedingungen geschaffen werden, die der zunehmenden Internationalisierung der Unternehmenstätigkeit und Globalisierung der Märkte Rechnung tragen. Mit der Jahreswende ist ebenso die Nordamerikanische Freihandelszone (NAFTA) als zweitgrößter Wirtschaftsraum nach dem EWR entstanden. Es besteht zunehmend die Gefahr, daß Außenhandel künftig nicht mehr von einzelnen Unternehmen, sondern nur noch zwischen den Blöcken oder per Regierungsabkommen abgewickelt wird. Auch in Brüssel dreht sich die Europapolitik im wesentlichen um den Begriff "Gemeinschaftspräferenz", d.h. Marktordnung und Abschottung. Dies zeigte sich auch in der 7jährigen Verhandlungszeit der GATT-Uruguay-Runde, die erst Ende 1993 erfolgreich abgeschlossen werden konnte. In diesem Zusammenhang erschien kürzlich eine interessante Studie dieser Universität, in der die Auswirkungen von Importrestriktionen der EU auf den deutschen Maschinenbau untersucht wurden. Resultat der Studie war, daß infolge von Importrestriktionen von 10% es zu Preiserhöhungen bis zu 30% für europäische Kunden kommen würde. Die Investitionskosten würden von 11 bis 16 Mrd. DM steigen, d.h. der deutschen Maschinenbau würde mehr verlieren als gewinnen.

Fazit: Strukturkrise durch Überlagerung von negativen Effekten

Das Ende des Ost-Westkonflikts hat die Fragen der Wettbewerbsfähigkeit der Wirtschaft durch den damit verbundenen Strukturbruch ganz erheblich beschleunigt. Wir sind nun gezwungen zu handeln. Zur Zeit ergeben sich drei negative Überlagerungen:

Einmal die schlechte Konjunktur, die sich im Augenblick noch nicht erholt. Man erkennt zwar gewisse Aufschwungtendenzen bei den Investitionsgütern durch Auslandsauftragseingänge, aber gleichzeitig entwickelt sich erst jetzt die Rezession in der Konsumgüterindustrie und in der Dienstleistungsbranche. Die Arbeitnehmer haben am Ende des Jahres 1993 zum erstenmal gemerkt, daß ihre Realeinkommen deutlich sinken. Das wird sich noch 1994 drastisch verschlechtern, u.a. durch die höheren Abgabenlasten.

Der zweite negative Effekt ist, daß die Strukturnachteile, die wir seit 1992 in der Standortdebatte besprechen, zumindest im Bereich der Politik noch nicht behoben wurden oder überhaupt bekämpft werden, und natürlich im Zeichen der leeren Staatskassen auch nicht bewältigt werden können.

Als dritte Überlagerung wirkt sich negativ aus, daß durch die unsolide Finanzierung des Aufbau Ost und die übermäßige Ausweitung der Staatsverschuldung dem Staat nicht die Mittel zur Verfügung stehen, die er normalerweise in einer Rezession braucht, um die Wirtschaft wieder zu stimulieren, z.B. durch Zinssenkungen und Investitionsförderungen.

Diese drei Effekte überlagern sich und können als Hauptgründe gesehen werden, weshalb wir zur Zeit die schlimmste Rezession der Nachkriegszeit durchleben. Sicherlich werden wir diese Rezession bewältigen. Man darf es sich jedoch nicht zu einfach machen und auf die heilende Wirkung einer Krise vertrauen, denn dieser schmerzhafte Prozeß führt nicht nur zu einem enormen Anstieg der Arbeitslosigkeit, sondern bewirkt auch eine auf längere Sicht anhaltend hohe Sockelarbeitslosigkeit.

Als grundsätzlich positiv sind in diesem Zusammenhang die letzten beiden Abschlüsse der Tarifpartner Chemie und Metall zu bewerten: Die Deutschen sind doch in Lage bei erheblichen Rückschlägen umzudenken und - bildlich gesprochen - "die Ärmel hochzukrempeln". Die Deutschen haben eine Tradition dafür, daß sie materiell, eitel und schulmeisterhaft sind, solange es ihnen gut geht. Geht es ihnen jedoch schlechter, so entwickeln sie ein enormes Maß an Fleiß, Kameradschaftlichkeit und Miteinander - also mit anderen Worten - sie fallen sehr schnell auch wieder auf die Füße. Angesichts der derzeitigen Probleme, ist ein Konsens in den Betrieben zwischen Betriebsräten und Geschäftsleitung, zwischen den Tarifpartnern und auch zunehmend mit einigen Politikern zu spüren, der hoffen läßt, daß wir auch diese Krise meistern werden und gestärkt aus dieser Zeit hervorgehen werden.

Der Wirtschaftsstandort Deutschland aus Arbeitnehmersicht

Reinhard Kuhlmann

I.

Der Wirtschaftsstandort Deutschland ist in die Diskussion geraten. Dabei ist nicht immer vollständig klar, ob diese Diskussion auf der Grundlage einer ausgewiesenen analytischen Grundlage erfolgt, oder nur interessengeleitete Polemik in der gesellschaftspolitischen Diskussion.

Eine Grundlage für diese Debatte ist jedoch zweifelsfrei objektivierbar - mit dem Zusammenbruch der festgefügten Ost-West-Weltordnung 1989 hat der Weltmarkt wirklich globale Dimensionen angenommen. Und mit der Globalisierung von Produktions-, Finanzierungs- und Investitionsentscheidungen steht nicht mehr so sehr die absolute Qualität von Wirtschaftsstandorten zur Debatte, ihre relative Position im Vergleich zu anderen Industriestandorten wird zu einem eigenständigen Argument, nicht nur der Regierungen, sondern auch der transnational operierenden Finanz- und Kapitalgruppen.

Die Debatte um den Wirtschaftsstandort Deutschland im internationalen Vergleich hat dabei teilweise aus Regierungssicht, teilweise aus Arbeitgebersicht die Qualität grob verallgemeinernder Kampfparolen. Mit dem Hinweis auf die vorgeblich desolate Situation der Rahmenbedingungen für wirtschaftliche Betätigung am Wirtschaftsstandort Deutschland sollte Wohlverhalten erzeugt werden, insbesondere die Verzichtsbereitschaft bei Löhnen und Sozialleistungen, bei Gewerkschaften und Arbeitnehmern geweckt werden. Diese Hinweise auf eine generell schlechte relative

Ausgangslage haben im Vorfeld von Tarifrunden in Deutschland eine lange Tradition.

Insbesondere jedoch seit 1990 hat die Industriestandort-Debatte eine generell andere, eine ernsthaftere Qualität gewonnen: Nicht mehr nur die periodische Anpassung von Löhnen und Gehältern an Preisentwicklung, Produktivitätszuwächsen und veränderte Verteilungssituation werden mit Verweis auf die Standortqualität gekontert. Das Sozialmodell einer durch Tarifautonomie, Sozialstaat und Betriebs- wie Unternehmensverfassung geregelten Marktwirtschaft gerät in die Schußlinie.

II.

Dabei ist die Debatte um den Wirtschaftsstandort letztlich verwirrend geblieben. Während die einen seine generelle Qualität gewissermaßen schon herunterreden und damit seiner Attraktivität für ausländische Investoren einen Bärendienst erweisen, wird er von anderer Seite schöngeredet. Unterstellt man, daß hierbei jeweils nicht nur kurzfristig interessengeleitete Polemik die ausschlaggebende Rolle spielt, dann ist es erforderlich, stärker die strukturellen Determinanten der Wirtschaftsstandortdebatte ins Auge zu fassen.

Dabei kann insbesondere aus Arbeitnehmersicht nicht übersehen werden, daß sowohl Katastrophentheoretiker wie Schönredner einzelne Argumente und Faktoren jeweils für sich sprechen lassen können.

- Noch im Frühjahr 1994 sprechen beispielsweise die Zahl von Patentanmeldungen gegen die Innovationskraft und damit gegen den Wirtschaftsstandort Deutschland.

- Gleichzeitig nimmt die Explosion des deutschen Aktienindexes auf Werte von 2.200 Punkten blendende gegenwärtige und zukünftige Gewinnaussichten vorweg. Bankprognosen weisen darauf hin, daß angesichts schlanker Produktionsstrukturen und niedriger Arbeitskosten infolge niedriger Tarifabschlüsse Unternehmensgewinne im laufenden Jahr um bis zu 75 Prozent (zugegebenermaßen von einem relativ geringen Niveau) steigen sollen.

- Weder Katastrophenszenarien noch Goldrausch-Mentalität sind einer ernsthaften Debatte um Strukturprobleme und Zukunftsaussichten des Wirtschaftsstandortes Deutschland angemessen. 1994 steht die Bundesrepublik in der tiefsten Wirtschafts- und Beschäftigungskrise ihrer Geschichte. Das Glück und die historische Einmaligkeit der deutschen Einigung haben zu einer tiefen wirtschaftlichen und sozialen Spaltung des Landes geführt; eine verfehlte Transformationspolitik führt zur tiefgreifenden Deindustrialisierung im Osten Deutschlands und belastet die öffentlichen Haushalte und die Sozialversicherungssysteme mit ganz erheblichen Transferleistungen. Gleichzeitig zeigt sich nach der kurzen Nachfrageblüte im Westen im Zuge der deutschen Einigung, daß die Produktionsstrukturen in Kernbereichen auch der Industrie in den westdeutschen Bundesländern erheblichen Modernisierungs- und Innovationsbedarf ausweisen.

Im Ergebnis zahlen Arbeitnehmerinnen und Arbeitnehmer die Zeche, Massenarbeitslosigkeit steigt, die Arbeitsplatzlücke wird immer größer. Das wirtschaftliche und gesellschaftliche System ist offenkundig unfähig, all den Menschen einen Arbeitsplatz zu gewährleisten, die einen Arbeitsplatz suchen. Gleichzeitig wird immer deutlicher, daß selbst eine wirtschaftliche Erholung bei Auftragseingängen und bei der Produktion nicht direkt und unmittelbar zu vermehrter Beschäftigung führen wird. Angesichts stürmischer Rationalisierungsprozesse und Tendenzen zu durchweg schlanker Produktion wird immer deutlicher, daß das wirtschaftliche Wachstum ohne durchgreifendes Wachstum bei der Beschäftigung sein wird.

Dabei erweitert sich die Fragestellung nach dem Wirtschaftsstandort Deutschland auch auf die Frage nach den Lebensbedingungen in diesem Land. Sofern Übereinstimmung darin besteht, daß Wirtschaften kein Selbstzweck ist, sondern Grundlage zur Entfaltung der Bedürfnisse der Menschen, sofern muß auch daran erinnert werden, daß es für die gesellschaftliche Ordnung kontraproduktiv wäre, dauerhaft Millionen Menschen systematisch von der Erwerbstätigkeit auszuschließen.

III.

Mit der Überwindung des Systemkonfliktes hat sich die Weltmarktkonkurrenz in der Triade Europa - Nordamerika - Japan zugespitzt. Die neue Zuspitzung der internationalen wettbewerbspolitischen Situation muß für alle Akteure Konsequenzen haben - für den Staat, für die Unternehmer, aber auch für die Gewerkschaften.

Um diese Konsequenzen zu benennen, ist ein präziserer Blick auf die Elemente und Perspektiven der Standortdebatte erforderlich.

In der regierungsoffiziellen Debatte der Standortprobleme wurde die Diskussion auf ein Element der Standortqualität zugespitzt und zugleich reduziert. Die Arbeits- und Sozialkosten wurden zur zentralen strategischen Bestimmungsgröße von Standortqualität gemacht. Wer eine solche Analyse vorträgt, dem kommt es dabei immer auch gleich auf die Therapie an. Zur Verbesserung der Standortqualitäten des Wirtschaftsstandortes Deutschland ist es dann unumgänglich, die Arbeits- und Sozialkosten abzusenken, um die Qualität des Wirtschaftsstandortes zu verbessern. Kostenträchtig sind in dieser Analyse und Therapie auch die Wirkungen einer unterstellten "Überregulierung" - das Maß an Schutz- und Beteiligungsrechten des Sozialstaates, der Arbeitnehmer und ihrer Gewerkschaften wird zu einer negativen Beeinträchtigung von Standortqualität.

Ein solches Analysemodell ist dann mit Verbesserungsvorschlägen schnell bei der Hand. Sozialstaatliche Leistungen müssen eingeschränkt werden, der Kündigungsschutz muß erleichtert werden, die Regelungsmacht der Tarifvertragsparteien, insbesondere der Gewerkschaften, müssen eingeschränkt werden. Löhne unterhalb und außerhalb der Tarifverträge müssen möglich werden, Staatseingriffe im Tarifvertrag werden erlaubt, Betriebsräte sollen in ihren Rechten eingeschränkt werden. Dieses Szenario läuft darauf hinaus, daß das Auf und Ab wirtschaftlicher Entwicklung, die Irrationalität des Marktes direkt und ungebremst auf die wirtschaftliche und soziale Lage der Arbeitnehmer einwirken soll, der Arbeitnehmer und sein Arbeitsplatz sollen direkt und ungeschützt der Wucht konjunktureller und struktureller Krisen ausgesetzt sein.

Schon an dieser Stelle wird deutlich, welche katastrophalen Auswirkungen ein solcher Strategieansatz nicht nur für die wirtschaftlichen und sozialen Perspektiven am Wirtschaftsstandort Deutschland hätte , der ruinöse Unterbietungswettbewerb würde angesichts des hohen internationalen Integrations- und Verflechtungsgrades immer wieder auch Reaktionen an anderen Wirtschaftsstandorten provozieren und eine Kette von Unterbietungen in Gang setzen.

Damit wird deutlich, daß internationale Wettbewerbsfähigkeit ein notwendiges, zweifellos aber kein hinreichendes Kriterium für die Bestimmung von Qualitäten eines Wirtschaftsstandortes sein kann. Angemessene Arbeits- und Lebensbedingungen können und dürfen nicht zur Disposition gestellt werden. Was wäre dies für eine internationale Wettbewerbsfähigkeit, die wir generell zu Lasten der Arbeits- und Lebensbedingungen der Menschen erreichten? Was wäre das für eine internationale Wettbewerbsfähigkeit, die mit Spitzenprodukten, mit Spitzenexportquoten, mit Spitzenwachstumsraten erzielt wird, dabei aber dauerhaft fünf oder sechs oder sieben Millionen Arbeitslose, eine gesellschaftliche Polarisierung zwischen Arm und Reich, ungeschützte Arbeitsverhältnisse und unzureichende Basiseinkommen in Kauf nimmt?

IV.

Deshalb ist es erforderlich, sich einem differenzierteren Grundmodell für die Wirtschaftsstandortdebatte zuzuwenden.

Ausgehend von der Krisensituation, die durch Massenarbeitslosigkeit, Eingriffen in sozialstaatliche Sicherungen und Angriffe auf Arbeitnehmer und Gewerkschaftsrechte gekennzeichnet ist, müssen genauer die Faktoren und Bestimmungsgründe ausdifferenziert werden, die für die Qualität und die Zukunftsfähigkeit des Wirtschaftsstandortes Deutschland maßgebend sind.

Dabei geht es eben nicht nur um den verzerrenden Blick auf Arbeits- und Sozialkosten, es geht um einen umfassenden Zugang, der alle relevanten Faktoren der Zukunftsfähigkeit, der qualitativen Wettbewerbsfähigkeit identifiziert und für die Strategien verfügbar macht.

V.

Eine Wirtschaftsstandortdebatte, die von den konkreten Ursachen und Erscheinungsformen der gegenwärtigen Krise ausgeht, muß zumindest drei Elemente thematisieren.

Sie muß einerseits zur Kenntnis nehmen, daß die gegenwärtige Krisensituation Ausdruck weltweiter Nachfrageschwäche ist.

Sie muß darüber hinaus die Strukturschwäche des Standortes benennen, die wiederum zumindest drei Faktoren ausweist. Hierbei muß die gegenwärtige Fertigungs- und Arbeitsorganisation thematisiert werden, der Nachholbedarf bei intelligenten und innovativen Produkten und im internationalen Vergleich eher schlafmützige Managementstrukturen und Managementorganisation.

Neben der Nachfrageschwäche und der Strukturschwäche muß als dritter Aspekt auch die Kostensituation für Arbeit und Produktion, für Innovation und Investition am Wirtschaftsstandort Deutschland thematisiert werden.

Es paßt für manchen Zeitgenossen nicht in das Bild, das er sich von den Gewerkschaften gemacht hat: Aber es ist selbstverständlich, daß Gewerkschaften an dem Kostenargument nicht achtlos vorbeigehen. Aber gerade bei dem Kostenargument ist es notwendig, zu differenzieren, und dies will ich mit einigen wenigen Anmerkungen versuchen.

Es ist ein Aberwitz der gegenwärtigen Situation, daß nahezu die gesamte Anpassungslast zur Verbesserung der Wettbewerbsfähigkeit am Wirtschaftsstandort Deutschland den Löhnen und Gehältern sowie den Sozialkosten aufgebürdet werden soll. Dabei wird häufig übersehen, daß der Gesamtanteil der Arbeitskosten an den Gesamtkosten in der Gesamtwirtschaft um die 20 Prozent beträgt. Dieses Segment von ca. 20 Prozent der Gesamtkosten soll die Gesamtbürde der Anpassungslasten zur Wiederherstellung der Wettbewerbsfähigkeit tragen. Der Aberwitz dieser Diskussion ist offenkundig. Andere Kosten, wie Kapitalkosten, Zinskosten, Währungskosten bleiben dabei insgesamt unberücksichtigt. Uns muß niemand belehren: Selbstverständlich ist für die Wettbewerbsfähigkeit die Kostensituation und die Kostenstruktur ein bedeutsames Element. Dabei kann man jedoch überhaupt nicht ausschließlich oder auch nur vorrangig die Arbeitskosten ins Visier nehmen. So können beispielsweise 20prozentige Sprünge im Außenwert der Währung (so beispielsweise geschehen im Verhältnis der DM zur italienischen Lira) überhaupt nicht durch Variationen von Arbeitskosten, insbesondere nicht der Lohnhöhe, ausgeglichen werden.

VI.

Insbesondere unter einem Gesichtspunkt ist es in der gegenwärtigen Situation geradezu selbstmörderisch, die Arbeitskosten zum entscheidenden strategischen Bezugspunkt genereller Kostensenkung zu machen. Zwar ist es von der einzelwirtschaftlichen Seite her richtig, daß Löhne und Gehälter Kosten sind, die in die betriebswirtschaftliche Kostenrechnung und in die Preisgestaltung eingehen. Bei gegebenem Absatz werden dadurch auch die Erträge wesentlich mitbestimmt.

Auf der anderen Seite sind Arbeitskosten jedoch immer auch gesamtgesellschaftliche Nachfrage. Dieser kreislauftheoretische Zusammenhang sprengt die einzelwirtschaftliche, die betriebswirtschaftliche Debatte. Dieser Zusammenhang ist ebenso bedeutsam wie trivial, es wäre zweifellos Blindheit, wenn man nur auf den Nachfragezusammenhang hinweisen würde. Aber es ist ökonomisch von ganz hoher Bedeutung, im Kreislaufzusammenhang die Kostenseite nicht zu isolieren, sondern in gesamtwirtschaftliche Betrachtungen zur Bedeutung von Nachfrage für Beschäftigung, Produktion und Wachstum mit in die Überlegungen einzubeziehen.

VII.

Verschiedene Konjunkturforschungsinstitute haben auf den konjunkturellen Charakter der gegenwärtigen Wirtschaftskrise hingewiesen. Verschiedene strukturelle Defizite, auf die noch differenzierter einzugehen sein wird, sind an anderen Industriestandorten in der Triade durchaus keine Unbekannten. Die Triade insgesamt wird belastet von einem generellen Nachfrageverfall, der durchaus charakteristischere Züge des generellen Konjunkturzyklus aufweist. Verschiedene Analytiker weisen darauf hin, daß wir im Frühjahr 1994 hart am Rande einer Brüning'schen Situation sind, die deflatorischen Effekte des Absinkens der Masseneinkommen haben gesamtwirtschaftlich tiefgreifende Auswirkungen des Nachfrageentzuges und der Krisenverschärfung.

Es ist absehbar, daß die binnenwirtschaftliche Nachfrage so schrumpft, daß sie zu einer Behinderung gesamtwirtschaftlicher

Erholung wird. Mehrere Null-Runden, die Erhöhung der Sozialabgaben und Steuerbelastung, Unsicherheiten über die Zukunft des Arbeitsplatzes, führen bei Arbeitnehmern dazu, daß langfristige Konsumgüter weniger nachgefragt werden.

VIII.

Der Zusammenhang von Nachfrageschwäche, Strukturschwäche und Kostenschwäche prägt gegenwärtig die Situation am Wirtschaftsstandort Deutschland. In einer interessegeleiteten Diskussion von Arbeitgeber und Regierung spielen die Lohnstückkosten immer eine besondere Rolle. Dies gilt auch für die gegenwärtige Krisensituation. Dabei wird jedoch übersehen, daß im Verlaufe des konjunkturellen Krisenzyklus in einer Abschwungphase der wirtschaftlichen Konjunktur die Lohnstückkosten immer steigen - ja logisch, immer steigen müssen. Die Kehrseite dieser Medaille ist, daß bei einer Belebung bei Auftragseingängen und Beschäftigung die Lohnstückkosten ganz plötzlich sinken - und die Stückgewinne und die Gewinne insgesamt ganz schnell steigen. Dies ist im übrigen die Grundlage für die exzellenten Gewinnprognosen der Banken für den industriellen Sektor in der Bundesrepublik Deutschland für das zweite Halbjahr des Jahres 1994 und für das Jahr 1995 und darüber hinaus.

Deshalb ist es fahrlässig, in einer konjunkturellen Abschwungphase mit absoluten Hinweisen auf Lohnstückkosten zu operieren, ohne deren Relativität bei niedrigem Auslastungsgrad zu benennen.

IX.

Eine realistische Sicht auf die Probleme am Wirtschaftsstandort Deutschland darf auch und gerade die Ergebnisse des Wettbewerbs in der Triade nicht dramatisieren. Auch 1992 ist die Bundesrepublik Deutschland der zweitgrößte Exporteur der Welt gewesen, hinter den USA und noch vor Japan. Es gibt keinen Anlaß, ein generelles Krisenszenario zu entfalten - oder diejenigen müssen nach ihrem Interesse gefragt werden, die dieses Krisenszenario in die Debatte einbringen. Dabei übersehen auch die Gewerkschaften nicht, daß die Struktur sowohl der Abnehmerländer wie auch der Exportsektoren im internationalen Vergleich Schwächen aufweist. Die deutschen Exporteure sind im ganzen ostasiatischen Wirtschaftsraum, der zukünftig die höchsten Wachstumsraten aufweisen wird, nur ganz unterproportional vertreten. Die quantitativen und qualitativen Faktoren im Vergleich zu unseren europäischen Nachbarländern und zu den USA sind so verschieden nicht, hieran zeigt sich, daß es andere, zusätzliche Gründe geben muß, daß Deutschland im ostasiatischen Raum so wenig präsent ist. Wenn die Ausfuhr 1992 auf die Erwerbstätigen bezogen wird, dann liegt die Bundesrepublik Deutschland vor Frankreich, Großbritannien, Italien - und auch weiter vor Japan und den USA. An der Weltausfuhr der OECD-Länder 1982 bis 1991 hält Westdeutschland einen Anteil von 15,6 Prozent. Japan hält einen Anteil von 13 Prozent. Im Jahr 1992 betrug der deutsche Anteil 15,8 Prozent - im Vergleich zu Japan mit 12,7 Prozent.

Dies sind Zahlen und Fakten für unsere internationale Konkurrenzfähigkeit, die jeder Schwarzmalerei entgegenstehen.

X.

In der öffentlichen Debatte wird häufig das Angstmacher-Argument benutzt, daß der Anteil der Investitionen ausländischer Unternehmer in der Bundesrepublik Deutschland zurückgeht. Die Tatsache ist richtig beschrieben. Gleichzeitig wächst jedoch der Anteil der deutschen Direktinvestitionen im Ausland. Absolut falsch ist jedoch die Angstmacher-Debatte, die mit diesen Fakten angeheizt wird. In Deutschland kehren langsam japanische Verhältnisse ein. Es ist Ausdruck der Stärke einer Volkswirtschaft, sich zu globalisieren. Internationale Investitionen deutscher Unternehmen kommen dem Standort Deutschland zugute. Sie behindern seine Entfaltung und seine ökonomische Entwicklung nicht - sie fördern sie. Manche meinen, Investitionen fliehen vor den hohen Arbeits- und Sozialkosten. Diese triviale Unterstellung hält einer Befragung deutscher Unternehmen nach ihren Investitionsmotiven nicht stand. Niedrige Steuern und niedrige Arbeitskosten spielen mit 1,8 Prozent der Motive eine nahezu zu vernachlässigende Rolle. Entscheidend ist die Frage des Marktzugangs, und deshalb ist es überhaupt keine Dramatik, daß Unternehmer im Ausland investieren.

XI.

Die Fragwürdigkeit einer Zuspitzung der Wirtschaftsstandortfrage auf die Lohnkosten läßt sich am Beispiel des Maschinenbaus illustrieren. Ein Maschinenbau-Unternehmen mit einem hohen Exportanteil auf dem italienischen Markt hat innerhalb von fünfzehn Monaten eine 24prozentige Aufwertung der DM auszuhalten. Diese Veränderung der internationalen Wettbewerbsfähigkeit kann durch keine Form der Lohnanpassung wettgemacht werden. Wer dies denkt und wer dies will, der sprengt das System sozialer Sicherung und des sozialen Ausgleichs. Eine solche Form der Arbeits- und Lohnkosten an Währungssprünge und Währungsdisparitäten könnte mit den Gewerkschaften nur im Streit, in der harten Konfrontation versucht werden. Zugegeben, einen ernst zu nehmenden Befürworter eines solchen Katastrophenkurses kenne ich nicht. Ich kenne jedoch Hinweise auf die niedrigen Arbeitskosten in Ungarn, Tschechien, Polen, Rumänien, Bulgarien oder Rußland. Seitens der Gewerkschaften gibt es keine generelle Kritik an Investitionen in diesen Ländern. Wir wollen, daß langsam und kontinuierlich fortgeschrittene Sozialstandards hier verwirklicht werden können. Dies ist ohne Investitionen in diesen Ländern nicht zu haben. Wir wehren uns nur mit aller Kraft gegen die fatalen Wirkungen einer Abwärtsspirale bei Löhnen und Arbeitsbedingungen. Die erforderliche Neujustierung im Rahmen des internationalen Wettbewerbs verlangt Änderungen an der Produktionsstruktur, der Arbeitsorganisation, der Produktpalette, auch an den Kostenstrukturen insgesamt. Hierzu leisten die Gewerkschaften ihre Beiträge.

XII.

Es wäre fatal, die Wettbewerbsfähigkeit nur in quantitativen Kategorien eines mörderischen Konkurrenzkampfes aller gegen alle zu diskutieren. Unser Konzept von Wettbewerbsfähigkeit und Zukunftsgewißheit baut zugleich neben quantitativen Faktoren ganz entscheidend auch auf qualitative Elemente. Wir wollen Strategien der Reform durchsetzen, die das Wohlstandsmodell, die Produktions-, Konsumtions- und Sozialstruktur unserer Industriegesellschaft zukunftsfähig macht. Dies wird ohne drastische Korrekturen und Eingriffe in unser Wohlstandsmodell nicht möglich sein. Dieses Wohlstandsmodell - selbst wenn es in quantitativen Kategorien international wettbewerbsfähig ist - ist nicht überlebensfähig. Seine Vergeudung von Ressourcen, seine Verschleuderung von Energie, seine soziale Spaltung, dies hat auf Dauer hier keinen Bestand. Der Weg in die Solarwirtschaft, der Weg in die Kreislaufwirtschaft, der Weg in ein qualitativ neues Verkehrssystem -, hier sind Stationen einer Zukunftsfähigkeit, die auch die qualitative internationale Wettbewerbsfähigkeit einschließt.

XIII.

Wir wollen in Deutschland nicht nur den Status quo der gegenwärtigen Produktionsstruktur, der gegenwärtigen Fertigungs- und Arbeitsorganisation verteidigen. Wir lassen uns auf den Strukturwandel ein, wir wollen ihn sozial und ökologisch verträglich gestalten. Dazu gehört, daß unter veränderten Weltmarktbedingungen bestimmte einfache Produkte mit hohen Lohnkostenanteilen auf dem Gebiet der Bundesrepublik Deutschland unter Geltung der Tarifverträge der IG Metall nicht mehr zu fertigen sind. Wir reagieren nicht dadurch darauf, daß wir die Tarifverträge absenken, die

Lebenssituation der Menschen verschlechtern, Arbeitsplatzvernichtung in Kauf nehmen. Wir werden immer Hochlohnland sein müssen, wenn wir den sozialen Frieden als Produktivkraft nicht verlieren wollen. Wir müssen unsere Produkte, unsere Innovationskraft, unsere qualitative Wettbewerbsfähigkeit erneuern.

XIV.

Die Gewerkschaften leisten Beiträge zur Zukunftsfähigkeit des Wirtschafts- und Lebensstandortes Deutschland. Ihre Beiträge beziehen sich insbesondere auf die qualitative Wettbewerbsfähigkeit und damit zur Zukunftsfähigkeit dieses Standortes. Wir wollen zu Innovation, Wandel und Reform beitragen, und diesen Wandel nach sozialen und ökologischen Kriterien verträglich gestalten.

Folgende Beiträge sind hierfür von besonderer Bedeutung:

- Der wichtigste Standortfaktor ist die soziale Produktivität. Das Prinzip des Interessenausgleichs, das soziale Sicherheit mit der Fähigkeit zum Wandel verbindet, ist aus der Sicht der Gewerkschaften der elementare Standortvorteil. Hierzu gehört auch der Flächentarifvertrag, der gleiche Mindestbedingungen sichert - und gleichzeitig damit einen Riegel gegen die ruinöse Absenkungskonkurrenz zwischen Standorten und Ländern darstellt. Die Gewerkschaften haben die Zeichen der Zeit erkannt - die Modernisierung des Tarifvertrages für im Tarifvertrag angelegte Wahloptionen für die Betriebe ist hier ein wichtiger, ein richtiger Schritt nach vorne.

- Bei der Überwindung der tayloristischen Produktionsweisen und der stärkeren Durchsetzung ganzheitlicher Arbeitsformen tragen auch die Gewerkschaften dazu bei, über die Stärkung von Beteiligungsrechten und Verantwortlichkeiten der Arbeitnehmerinnen und Arbeitnehmer in Betrieb und Unternehmen die soziale Produktivität in den Betrieben und Unternehmen zu erhöhen. In vielen Betrieben und Unternehmen haben Betriebsräte und Gewerkschaften Initiativen ergriffen, um das Prinzip der Gruppenarbeit unter klar definierten Rahmenbedingungen auszubauen und zu verbreiten. Ich darf daran erinnern, daß Gewerkschaften diese Lektion nicht auf dem Umweg über Japan lernen mußten; unsere Debatte um die Humanisierung der Arbeit hat immer auch in den 70er Jahren bereits einen wichtigen Akzent auf die Verstärkung von Gruppenarbeitskonzepten gelegt. Hier liegt für die deutsche Industrie ein gewaltiger Nachholbedarf, insbesondere im Vergleich zu Japan. Dies ist ein Nachholbedarf, der sich weder in Lohnprozenten noch in Tarifvertragsstrukturen begründen läßt.

- Die Gewerkschaften verstärken die Sensibilität und das Interesse ihrer Mitglieder, der Arbeitnehmer insgesamt an den Produkten, die sie fertigen. Ursprünglich im Zusammenhang mit der Produktkonversion in der wehrtechnischen Industrie entstanden, ist die Debatte um die soziale und ökologische, dabei immer aber auch um die kostenmäßige und ökonomische Dimension der Produkte in eine neue Phase getreten. Wir haben in Deutschland gravierenden Nachholbedarf in Produktinnovation; dies meint nicht die Verstärkung des Trends zur Billigprodukten und zu Wegwerfartikeln. Dies meint die Wiederbelebung traditioneller Innovationskraft, die sich auch immer auf neue Produkte beziehen konnte. Ein Beispiel ist das Drei-Liter-Auto. Erst langsam und viel zu spät kommt diese Vision eines ökologisch verträglichen Mobilitäts-Hilfsmittel wieder in die Optik von Industrie und Politik. Jeder weiß, daß wir dringend einen qualitativen Sprung in unseren Verkehrssystemen brauchen. Keine Polemik gegen das Auto, aber die Integration aller Verkehrsmittel in ein abgestimmtes Verkehrssystem - aus Gründen von Mobilität und Lebensqualität, insbesondere aber aus ökologischen und sozialen Gründen ist dieser qualitative Sprung unverzichtbar. Wir haben diese Initiativen auf verkehrspolitischen Konferenzen, in Dialogen mit der Automobilindustrie verstärkt und gefördert, immer in unmittelbarer Abstimmung mit den Betriebsräten, mit den Arbeitnehmervertretern in Aufsichtsräten, mit den Vertrauensleuten und den Beschäftigten der Automobilindustrie an diesem Wirtschaftsstandort.

- Wer die Frage nach der Zukunft des Wirtschaftsstandortes und seiner Zukunftsfähigkeit nicht nur kurzatmig interessengeleitet stellt, sondern die qualitative Seite von Innovation und Wandel betont, der kann nicht davon absehen, daß in den Zeiten des großen Klagens gleichzeitig öffentliche und private Forschungsaufwendungen abgesenkt worden sind. In Betrieben und Unternehmen wie in der Gesellschaftspolitik stehen die Gewerkschaften dafür ein, daß die Forschungsaufwendungen gesteigert und effizienter genutzt werden müssen. Das Investitionssystem am Wirtschaftsstandort Deutschland hat Schwächen. Zu wenig Mittel werden in gesellschaftlich relevante Bedarfsfelder gelenkt, zu viele Mittel werden in Prestigeobjekten verschleudert. Der Weg von der Grundlagenforschung zu Produktinnovation ist zu verschlungen. Es fehlt jede strukturierte Debatte über gesellschaftlich bedeutsame Zukunftsprodukte und Zukunftsentwicklungen, an denen sich Innovation und Investition orientieren könnte.

XV.

Wir haben keinen Anlaß, die Situation am Wirtschaftsstandort Deutschland zu dramatisieren. Der Standort ist besser als sein Ruf. Wer ihn schlecht redet, leistet den Menschen hier einen Bärendienst. Dennoch sind strukturelle Verwerfungen unübersehbar. Sie zu überwinden, ist zentrale politische Gestaltungsaufgabe. Diese Gestaltungspolitik muß sich an einem Bild qualitativer Zukunftsfähigkeit orientieren, sie muß die Meßlatte der sozialen und ökologischen Modernisierung ernst nehmen. Eine Orientierung auf Lohn- und Sozialkosten alleine verschärft die Situation, weil es den Wirtschafts- und Lebensstandort Deutschland in eine Lohn- und Sozialkosten-Absenkungsspirale hineinführt. Ein wohldefiniertes Maß an sozialer Sicherheit und sozialen Beteiligungsrechten schaffen die soziale Produktivität, die den strukturellen Wandel, die gelenkte Innovation hin zur qualitativen Zukunftsfähigkeit des Wirtschafts- und Industriestandortes orientieren kann.

Diskussion der Referate *Weiss* und *Kuhlmann*

(1) Zu der von Herrn Kuhlmann angesprochenen Entwicklung der Lohn- und der Gewinnquote gibt Herr Weiss zu bedenken, daß sich in der Gewinnquote nicht nur die Gewinneinkommen der Unternehmen, sondern auch die Kapitaleinkünfte privater Haushalte niederschlagen. Mit der Entwicklung zum Massenwohlstand und zu einer Erbengeneration seien ins55 gestiegen und hätten insofern zu der Zunahme der Gewinnquote beigetragen.

Dem hält Herr Kuhlmann entgegen, daß die bereinigte Lohnquote immer noch das Niveau von 1962 aufweise, was aus gewerkschaftlicher Sicht korrekturbedürftig sei.

(2) Bezüglich der im Vortrag von Herrn Kuhlmann erwähnten relativ geringen Bedeutung der Personalkosten gesteht Herr Weiss zu, daß dies für viele produzierende Unternehmen, die in erheblichem Umfang Vorleistungen einkaufen und insofern Outsourcing betreiben, zuträfe. Allerdings liege der Anteil der Personalkosten für die gesamte Volkswirtschaft deutlich höher und beeinflusse insoweit sehr wohl die Konkurrenzfähigkeit deutscher Produkte. So sei insbesondere im Dienstleistungsbereich der Anteil der Personalkosten überproportional hoch. Im Ergebnis führe dies dazu, daß ein Handwerker heute etwa fünf Stunden arbeiten müsse, um eine Stunde eines anderen Handwerkers bezahlen zu können.

Im Zusammenhang mit den Personalkosten werden von mehreren Diskussionsteilnehmern die Chancen und Risiken von Einstiegstarifen angesprochen. Einerseits wird die Auffassung vertreten, daß die Arbeitsplatzprobleme in der Bundesrepublik ohne Einstiegstarife nicht gelöst werden könnten, weil ein großer Teil neuer

Arbeitsplätze in Bereichen mit vergleichsweise geringen Qualifikationsanforderungen entstanden seien.

Andererseits wird auf die Gefahren der "McDonaldisierung" der Arbeitsplätze hingewiesen, die in den USA zu beobachten sei und die im Extrem zu einer Verarmung auch der Mittelschicht führen könne. Daher stellen die Einstiegstarife aus Sicht der Gewerkschaften keine Lösung des Beschäftigungsproblems dar. Neben dem Hinweis, daß auch bei dem Verkauf von Produkten keine "Einstiegspreise" gewährt werden, wird auch die Meinung geäußert, Einstiegstarife seien "schlicht sittenwidrig". Eine Verbesserung der internationalen Wettbewerbsfähigkeit dürfe nicht zu Lasten der sozialen Kohärenz erreicht werden.

In diesem Zusammenhang wird noch vorgeschlagen, durch weitergehende Qualifikation der Arbeitskräfte dafür zu sorgen, daß wieder mehr höherwertige Arbeit nach Deutschland komme. Nach Einschätzung von Herrn Weiss wird dies im produzierenden Sektor durchaus befolgt, da dort höchstqualifizierte Arbeitskräfte eingesetzt werden. Andererseits gebe es vor allem im Dienstleistungsbereich zahlreiche Arbeiten, die übernommen werden müssen, für die die qualitativen Anforderungen eben geringer seien, was sich in den Preisen für die Arbeit niederschlagen müsse.

(3) Zur Entwicklung der Lohnstückkosten in der Bundesrepublik wird bemerkt, daß diese in Zeiten einer Rezession regelmäßig ansteigen. Allerdings sei der wachsende Trend in Deutschland unabhängig von der konjunkturellen Situation schon länger zu beobachten.

Außerdem wird darauf hingewiesen, daß bei einem internationalen Vergleich der Lohnstückkosten berücksichtigt werden müsse, welche Komponenten jeweils erfaßt werden. Wenn z.B. in Japan, Dänemark, Frankreich oder den USA die Systeme der sozialen Sicherung aus dem allgemeinen Steueraufkommen finanziert werden, während in der Bundesrepublik auf Sozialversicherungsbeiträge mit Arbeitgeberanteil zurückgegriffen wird, liegen die Lohnstückkosten in Deutschland alleine deswegen tendenziell höher. Insofern sei es notwendig, bei einem Vergleich solche strukturellen Unterschiede zu beachten.

(4) Der in den vergangenen Jahren zu beobachtende Rückgang der ausländischen Investitionen in der Bundesrepublik wird als weiteres Problem benannt. Auch dies wird auf das zu hohe deutsche Kostenniveau zurückgeführt. Wenn ein ausländischer Investor den europäischen Markt erschließen möchte, kann er in England, Spanien oder anderen Ländern sein "Standbein" zu günstigeren Konditionen aufbauen als in der Bundesrepublik.

(5) Zum Rationalisierungspotential in Verwaltungen wird von mehreren Vertretern die Meinung geäußert, daß zwar eine Behördenschelte immer gut ankomme, gleichwohl aber eine differenzierte Argumentation geboten sei. Denn es müsse gesehen werden, daß in zahlreichen Verwaltungen mit einer konstanten Zahl von Mitarbeitern eine deutlich größere Zahl von "Fällen" als vor einigen Jahren zu bearbeiten sei. Dies gelte z.B. sowohl für die Arbeitsvermittlung als auch in der Finanzverwaltung. Außerdem wären die Arbeitsabläufe wie auch der Personalbestand wegen der geltenden gesetzlichen Bestimmungen weniger flexibel als in der "freien Wirtschaft", so daß es hierdurch zu einer Einschränkung der Rationalisierungsmöglichkeiten komme.

Andererseits sei nicht zu bestreiten, daß auch in den öffentlichen Verwaltungen permanent nach Möglichkeiten zum rationelleren Arbeiten gesucht werden muß und hierfür durchaus erfolgversprechende Ansätze vorhanden sind.

(6) Zu den Schlüsselindustrien wird angemerkt, daß es in Deutschland vor allem an Aktivitäten in Wachstumstechnologien mangelt. An den Beispielen der Mikroelektronik, der Computertechnik, der Pharmazie und der Biotechnik sei festzustellen, daß gerade in diesen wachstumsträchtigen Branchen in Deutschland erhebliche Defizite bestehen.

Die Industriepolitik der Europäischen Gemeinschaft

Jörg Wenzel

Ich möchte zunächst eingangs sagen, daß ich dankbar bin, daß Sie auf Ihrer 4. Ingolstädter Fakultätstagung die Europäische Dimension eingebaut haben. Das ist nicht selbstverständlich in Deutschland, ganz im Gegenteil. Deutschland ist immer noch sehr weit von Brüssel entfernt.

In vielen Unternehmen, aber auch in vielen Bereichen der Politik ist feststellbar, daß immer noch in nationalen Kategorien gedacht wird und daß immer noch nicht erkannt worden ist, wieviel Musik mittlerweile in Brüssel spielt. Man ist immer noch viel zu weit entfernt von der Europäischen Union. Während andere, insbesondere Franzosen und Briten, die Entwicklungen in Brüssel sehr intensiv verfolgen, habe ich in den letzten Jahren zur Kenntnis nehmen müssen, daß man in Deutschland noch nicht genügend erkannt hat, daß es notwendig ist, sich sehr intensiv mit Brüssel zu befassen und als Unternehmen oder als Verband stärker vor Ort zu gehen, um Richtlinien oder Verordnungen direkt zu beeinflussen, und nicht nur aus der Ferne Maastrichtkritik zu artikulieren. Ich hoffe, ich kann dazu beitragen, diese Distanz zwischen Deutschland und Brüssel oder Ingolstadt und Brüssel etwas abzubauen und vielleicht da und dort einige Mißverständnisse auszuräumen, auch was die europäische Industriepolitik betrifft.

Industriepolitik ist ein schillernder Begriff, unter dem beinahe jeder etwas anderes versteht. Selbst die einfachste Charakterisierung als Politik für die Industrie trifft nicht ganz zu, denn was dient schon der Industrie wirklich? Manchmal ist es das Gegenteil dessen, was die Industrieverbände von der Politik fordern. Welcher Verband tritt schon gerne öffentlich für mehr Wettbewerb und hohe Umweltstandards ein? Trotzdem liegt beides im wohl verstandenen Eigeninteresse der Industrie, auch wenn manchmal etwas kurzsichtig das Gegenteil behauptet wird. Wer sich für eine europäische Industriepolitik ausspricht, riskiert erst recht, sich zwischen alle Stühle zu setzen, denn unter Industriepolitik wird in der Europäischen Union oft höchst Unterschiedliches, bisweilen sogar Gegensätzliches verstanden. Und das macht europäische Industriepolitik im besonderen Maße erklärungsbedürftig.

Für den Industriekommissar Bangemann und für mich bedeutet Industriepolitik vor allem die Herstellung der internationalen Wettbewerbsfähigkeit. Dafür gibt es allerdings kein einfaches Rezept. Wettbewerb gehört ebenso dazu wie eine staatliche Flankierung des industriellen Strukturwandels, aber auch die Forschung und die Ausbildung sowie die Verkehrs- und Kommunikationsnetze sind wettbewerbsentscheidend. Die Industriepolitik darf keine Berührungsängste kennen; wichtig sind allein praktische Lösungen, die die bestehenden Wettbewerbsschwächen beseitigen und die vorhandenen Trümpfe in Europa stärken. Dieser horizontale Ansatz der europäischen Industriepolitik, der nicht mehr ausgewählte Sektoren fördern, sondern die Wettbewerbsfähigkeit von der Wurzel her verbessern will, setzt sich in der Union immer mehr durch.

Unsere Mitteilung zur europäischen Industriepolitik, die im Dezember 1990 einstimmig vom Ministerrat angenommen wurde, dokumentiert für alle Zweifler, daß in Brüssel der Kurswechsel von staatlicher Intervention hin zu konsequenter horizontaler Politik stattgefunden hat. Dabei wird die öffentliche Diskussion über Industriepolitik immer noch durch das alte ideologisch geprägte Gegensatzpaar von Markt und Plan bestimmt. Die Herstellung der internationalen Wettbewerbsfähigkeit ist aber unter den heutigen Bedingungen - das sind die Weltmarktbedingungen - ein dynamischer Prozeß, an dem auch der Staat maßgeblich mitwirkt. Wer das nicht erkennt, wer Industriepolitik immer noch grundsätzlich ablehnt und das Heil der Wirtschaft allein durch das freie Spiel der Marktkräfte erreichen will, ist zumindest auf einem Auge blind und sieht die Realitäten nicht. Er sieht nicht, was zum Beispiel bei unseren Hauptkonkurrenten geschieht, welches Zusammenspiel von Verwaltung, Wirtschaft und Banken etwa die japanische Industrie unterstützt. Und was derzeit in den Vereinigten Staaten von Amerika passiert, ist ebenfalls massive Industriepolitik, weswegen wir uns auch in Europa verstärkt mit diesem Thema vom richtigen Ansatz her befassen sollten.

Vor allem in Deutschland ist immer noch ein gestörtes Verhältnis zu Industriepolitik feststellbar, und es wird auch heute noch lautstark vor gefährlichen Entwicklungen in Brüssel gewarnt. Gleichzeitig aber werden die einheimische Kohle, der Airbus und die Bundesbahn mit Milliardenbeträgen unterstützt sowie weite Bereiche der Wirtschaft streng reguliert und in einem staatlich verordneten Korsett gehalten. Denken Sie nur an die Energiewirtschaft, die Telekommunikation und die Post. Hier haben wir es mit einem engen staatlichen Regelungskorsett zu tun, so daß sicherlich nicht behauptet werden kann, die reine Lehre der Marktwirtschaft werde in Deutschland konsequent praktiziert. Unsere Partner in Europa sehen diese Widersprüchlichkeiten, denn der Widerspruch zwischen Anspruch und Wirklichkeit bleibt nicht verborgen, und entsprechend ungehalten reagieren sie auf den immer wieder erhobenen Zeigefinger von deutscher Seite, der ihnen oft entgegengestreckt wird. Wir müssen hier zur Ehrlichkeit zurückfinden und zur Industriepolitik, die wir ja selbst praktizieren, grundsätzlich ja sagen, dabei aber die Rolle des Staates richtig definieren, d.h. vor allem pragmatisch vorgehen.

Kommen wir zurück zur Ausgangsthese, daß alle Anstrengungen in Deutschland und in Europa darauf konzentriert werden müssen, die internationale Wettbewerbsfähigkeit der europäischen Industrie zu verbessern und für neue Beschäftigung zu sorgen. Denn wir befinden uns ganz ohne Zweifel immer noch in der schwersten wirtschaftlichen Krise der europäischen Nachkriegsgeschichte. Die klassischen Sektoren Stahl, Automobile, Textil, etc. haben mit enormen Strukturanpassungsproblemen zu kämpfen; lediglich der Telekommunikationssektor entwickelt sich gegen den Trend und weist erfreuliche Wachstumsraten auf. Ich sage hier in aller Klarheit: Jeder industrielle Arbeitsplatz in Europa ist derzeit potentiell gefährdet. Die Außenhandelsleistung der europäischen Industrie hat sich seit 1980 ständig verschlechtert. Rund zwei Drittel der europäischen Industrie haben zwischen 1986 und 1991 weltweit Marktanteile verloren. Und dabei hat sich ihre Wettbewerbssituation hauptsächlich auf Märkten mit hoher Wertschöpfung, wie etwa in den Bereichen Informatik, Elektronik, optische Instrumente und medizinisch-chirurgische Ausrüstung, verschlechtert. Deswegen ist es notwendig, die Produktivität zu steigern, die Kaufkraft zu steigern sowie die Verbreitung des technischen Know-hows zu erleichtern, um dadurch den Rückstand insbesondere bei den Zukunftstechnologien zu beseitigen.

Was ist konkret zu tun?

Wir müssen zunächst den Binnenmarkt vollenden. Der Binnenmarkt war und ist eine ganz entscheidende Voraussetzung für eine Verbesserung der Ausgangslage der europäischen Wirtschaft, wobei klar zur Kenntnis zu nehmen ist, daß diese Binnenmarktkonzeption Europa nach der Phase von Eurosklerose und tiefem Pessimismus zu neuem Schwung verholfen hat, daß auf diesem Wege Selbstzweifel überwunden werden konnten und daß schon in Antizipation dieses größeren einheitlichen Marktes massiv investiert worden ist, was zu erheblichem zusätzlichen Wachstum und zu neuer Beschäftigung beigetragen hat. Ich gehe sogar soweit, zu sagen, daß der Binnenmarkt die bisher größte und umfassendste Deregulierungsinitiative in der gesamten Wirtschaftsgeschichte war.

Auf allen Ebenen, in allen Bereichen sind Marktzugangsbarrieren beseitigt worden, ist liberalisiert worden. Der freie Güterverkehr ist realisiert, und auch die freien Berufe - Anwälte, Architekten, Ärzte - können ihre Dienstleistungen jetzt europaweit schrankenlos anbieten. Der Kapitalverkehr ist total liberalisiert, und Banken sowie Versicherungen können ihre Dienstleistungen - Versicherungen erst ab 1. Juli 1994 - nunmehr europaweit anbieten. Und auch was nicht unterschlagen werden sollte, ist, daß das gesamte öffentliche Auftragswesen in der Gemeinschaft liberalisiert worden ist. Für die europaweite Ausschreibung und Auftragsvergabe wurde Sorge getragen, und nach Expertenanalysen ist ein jährlicher Einspareffekt von mehr als 20 Milliarden DM möglich, wenn man endlich wegkommt vom Hoflieferantentum und die Chancen dieser neuen Entwicklung zu nutzen in der Lage ist.

Wir haben den größten einheitliche Wirtschaftsraum der Welt geschaffen, einen Raum mit 340 Millionen Verbrauchern, und wenn nun hoffentlich auch die Erweiterung stattfindet, wird es ein einheitlicher Wirtschaftsraum mit 380 Millionen Verbrauchern sein. Das ist von ganz wesentlicher Bedeutung, denn nun haben auch die Europäer endlich ihren großen gemeinsamen "home-market", den die Japaner und Amerikaner längst haben. Nun kann für diesen größeren Markt in größeren Stückzahlen produziert werden; es können Kosten eingespart werden, insbesondere durch den Wegfall der Warengrenzkontrollen und anderer Formalitäten. Auch die Vereinheitlichung technischer Vorschriften und Normen ist von Vorteil, denn der Unternehmer braucht sich nicht länger auf 12 unterschiedliche nationale Regelungen einzustellen - er hat es mit einer einheitlichen Regelung zu tun.

Das falsche Konzept der Detailharmonisierung haben wir zu den Akten gelegt. Wir haben in unserer Amtszeit während der letzten fünf Jahre erheblich dazu beigetragen, daß Hunderte von Richtlinien zur Regelung nahezu jeden Lebenssachverhalts - von der Größe des Sattelschleppers bis zur Höhe des Bürostuhles - beerdigt wurden. An die Stelle der Detailharmonisierung ist nun das Prinzip der gegenseitigen Anerkennung getreten. Wir legen im Hinblick auf ein Produkt nur noch die Mindestanforderungen fest, die ein Produkt bezüglich seiner Sicherheit, Umweltverträglichkeit etc. zu erfüllen hat. Mehr nicht. Ich glaube: Das ist der richtige marktwirtschaftliche Ansatz.

Ich leugne allerdings nicht, daß die Vollendung des Binnenmarktes auf einem zentralen Feld - und das ist für die recht zahlreich anwesenden Unternehmen sicherlich von Relevanz - noch nicht vollzogen ist, und das ist das Steuerrecht. Hier ist vor allem beklagenswert, daß bei der Mehrwertsteuer immer noch das Bestimmungslandprinzip gilt mit der Konsequenz erheblichen bürokratischen Aufwandes für alle Unternehmen. Vierteljährliche Kontrollmitteilungen, die Probleme mit der Identifikationsnummer und andere Detailprobleme sind eine Belastung und haben die Europa-Euphorie sicherlich nicht gefördert. Die Kommission hatte ein anderes Konzept verfolgt - wir hatten den sofortigen Übergang zum Ursprungslandprinzip vorgeschlagen, aber die notwendige Einstimmigkeit hierzu war im Ministerrat nicht herzustellen. Die Steuerpolitik ist leider immer noch ein Feld, auf dem einstimmige Entscheidungen getroffen werden müssen. Das zeigt, daß Europa überall dort nicht vorankommt, wo das Einstimmigkeitsprinzip noch gilt, und daß es zwingend notwendig ist, auch dort zu Mehrheitsentscheidungen zu gelangen. Wir hoffen sehr, daß spätestens 1997 diese bedauerliche Lücke geschlossen wird.

Ich betone hier in aller Deutlichkeit: Für den weiteren Erfolg des Binnenmarktes ist entscheidend, daß die rund 280 Verordnungen, die im Zusammenhang mit der "Kreation des Binnenmarktes" beschlossen worden sind, sich nicht nur in einzelnen nationalen Gesetzesblättern wiederfinden, sondern daß sie auch mit Leben erfüllt werden, daß sie in die tägliche Wirtschaftspraxis umgesetzt werden. Dies sage ich nicht nur in Deutschland, das sage ich auch, wenn ich in anderen europäischen Ländern bin, insbesondere an die Adresse der Mitgliedstaaten, in denen gelegentlich die Neigung besteht, solche Richtlinien und Beschlüsse zwar zu verabschieden, sie dann aber sehr schnell wieder in der Schublade verschwinden zu lassen. Das kann natürlich nicht in Ordnung sein. Das Regelwerk muß einheitlich angewandt werden.

Gegen wettbewerbsverzerrende Praktiken muß energisch vorgegangen werden. Dazu gehört auch eine harte und konsequente

Anwendung des EG-Beihilferechts, wie wir es jetzt im Stahlbereich sehr konsequent praktizieren. Es gilt eine strenge Überwachung dessen zu organisieren, was noch nicht in die Wirtschaftspraxis Eingang gefunden hat und zwar insbesondere bei den öffentlichen Aufträgen, wo wir feststellen, daß die europaweite Vergabe leider immer noch die Ausnahme und nicht die Regel ist. Hier müssen wir zu einer Überwachungsstrategie finden, und ich garantiere Ihnen, daß wir die dafür notwendigen Strukturen schaffen werden, daß diese Dinge so schnell wie möglich in die Praxis umgesetzt werden, so daß auch die Unternehmen endlich etwas spüren von dem, was liberalisiert worden ist.

Für die weitere Aufwärtsentwicklung in Europa ist ferner von zentraler Bedeutung, daß wieder Ruhe an der europapolitischen Front einkehrt. Insbesondere auch in Sachen Wirtschafts- und Währungsunion. Denn: Nach der Schönwetterphase - im Zusammenhang mit der Entwicklung des Binnenmarktes und der Überwindung der Eurosklerose - zog dann mit der kontroversen Debatte über die Maastrichter Verträge deutlich schlechteres Wetter über Europa auf. Viele Bürger und auch Teile der Wirtschaft stellten sorgenvoll die Frage, ob nicht mit viel zu schnellem Tempo - mit sozusagen " überhöhter Geschwindigkeit " - auf einen europäischen Bundesstaat unter Vernachlässigung nationaler Identitäten zugesteuert wird, und eine nicht ausreichend stabilitätsorientiert geknüpfte Wirtschafts- und Währungsunion konstruiert wird.

Vor allem in Deutschland fand die These, daß eine erfolgreiche Antiinflationspolitik und die stabile Deutsche Mark auf dem europäischen Altar geopfert werden könnte, breiten Widerhall. Und daß diejenigen, die von Esperantogeld und einem Marsch in die Instabilitätsgemeinschaft sprachen, so viel Resonanz finden konnten, war logisches Resultat einer miserablen Aufklärungsarbeit und Informationspolitik sowohl von Brüssel wie auch der nationalen Regierungen. Wenn ich einen Vertrag wie den Maastrichter Vertrag unterzeichne, dann muß ich am nächsten Tag in die Offensive gehen und den Leuten draußen erklären, was ich gemacht habe; was ich erreicht habe, was ich auch nicht erreicht habe.

Natürlich sind solche Verträge Kompromisse, bei denen niemand hundertprozentig seine eigenen Interessen durchsetzen kann, sondern ein gemeinsamer Nenner gefunden werden muß. Das muß ich dann aber auch in aller Offenheit und Klarheit dem Volke sagen. Man darf sich nicht - wie das in Bonn geschehen ist - drei Monate verstecken, und denjenigen die Meinungsführerschaft überlassen, die dann die These des Esperantogeldes und der Instabilitätsgemeinschaft sehr geschickt an den Stammtischen präsentiert haben. Hier ist also ein großer Fehler gemacht worden. Der muß korrigiert werden, und ich meine, daß er mit guten Gründen korrigiert werden kann, denn was mit dem Maastrichter Vertrag gemacht worden ist, ist eine vernünftige Sache.

Wir sind mit der Ratifizierung von Maastricht natürlich nicht auf dem Weg zum europäischen Zentralstaat. Die Nationalstaaten dominieren auch nach Maastricht weiterhin das Geschehen. Wir sind, und das will ich auch in aller Schärfe sagen, noch weit von einem europäischen Bundesstaat entfernt, und Lichtjahre sind wir von den " Vereinigten Staaten von Europa " entfernt. Ich will dies am Beispiel der Außen- und Sicherheitspolitik, wenn mir dieser Ausflug erlaubt ist, erläutern. Maastricht gibt die Möglichkeit, auf bestimmten zu definierenden Feldern gemeinsame Aktionen der Außen- und Sicherheitspolitik mit Mehrheitsentscheidungen zu praktizieren. Allerdings müssen erst einmal einstimmig die Aktionsfelder definiert werden, auf denen dann mit Mehrheitsentscheidungen konkrete Maßnahmen getroffen werden können.

Bis heute ist es noch nicht gelungen, ein einziges Aktionsfeld zu definieren, auf dem man gemeinsam voranschreiten kann. Nicht einmal im Falle des ehemaligen Jugoslawiens bzw. Bosniens war man in der Lage, einen gemeinsamen Nenner zu finden, und ich gehe davon aus, daß dies in den nächsten Jahren ähnlich schwierig sein wird, vor allem wegen der höchst unterschiedlichen außenpolitischen Interessen in der Union. Wer behauptet, wir ständen kurz vor einem europäischen Bundesstaat, wir hätten keine nationalen Zuständigkeiten mehr, die nationalen Identitäten würden aufgehoben - der macht nichts anderes als eine Scheindebatte zu führen. Wir sind davon noch weit weg. Wir bewegen uns erst in ganz vorsichtigen Schritten auf mehr Gemeinsamkeiten in Europa zu; auch mit Maastricht.

Alle denjenigen, die davon sprechen, daß wir eine uniforme europäische Masse produziert haben, denen muß gesagt werden, daß im Maastrichter Vertrag das Subsidiaritätsprinzip in aller Klarheit festgeschrieben worden ist, d.h., eine klare, sauber definierte Aufgabenverteilung dessen, was auf nationaler Ebene weiterhin geschieht, und dessen, was von Brüssel aus gemacht wird.

Die im Maastrichter Vertrag vereinbarte Währungsunion führt nicht zu instabilen Verhältnissen. Ganz einfach deswegen, weil der Beitritt zur Währungsunion an äußerst strenge Kriterien gebunden ist. Ich will die vier Hauptkriterien nicht im einzelnen durchdeklinieren, aber die Strenge der Kriterien liegt auf der Hand, wenn man sich vor Augen hält, wer denn überhaupt derzeit an dieser Währungsunion partizipieren könnte. Es ist nur ein einziges Land in der Europäischen Union, nämlich Luxemburg. Nicht einmal die so stabilitätsorientierten Deutschen könnten an dieser Union partizipieren. Das zeigt, daß höchst strikte Kriterien eingezogen worden sind. Hinzu kommt, daß Geldpolitik in Zukunft ausschließlich von der Europäischen Zentralbank gemacht werden kann, die völlig unabhängig ist, so daß kein Mitgliedstaat mehr an der Geldvermehrungsmaschine drehen kann.

Dies ist eine wichtige Entwicklung, und in diesem Punkt haben die Deutschen einen großen Verhandlungserfolg erzielt. Mit Maastricht und den Kriterien für die Währungsunion sind wesentliche Elemente der marktwirtschaftlichen, deutschen Wirtschafts- und Gesellschaftsordnung auf Europa übertragen worden. Dieser große Verhandlungserfolg war für die anderen nicht einfach zu verdauen. Jedenfalls ist die Sorge, daß die DM aufgeweicht wird, eine Scheinsorge.

Allerdings sollten wir nicht zu fest auf den Zeitplan starren. Der Zeitplan für die Währungsunion ist meines Erachtens überholt. Als der Maastrichter Vertrag unterzeichnet wurde, waren wir noch nicht so tief im konjunkturellen Tal - der Zeitplan mag also damals noch realistisch gewesen sein. Nachdem wir heute so tief in der ökonomischen Krise stecken, sind diese Zeitpläne Makulatur geworden, und nun darf es natürlich nicht so sein, daß wir auf die Einflüsterungen hören, die sagen, wir müßten jetzt an den Kriterien manipulieren. Nein, wir müssen an allen Kriterien um jeden Preis festhalten, um die Stabilität auch weiter zu garantieren.

Wir sollten lieber den Zeitplan verändern. Wir müssen den Menschen sagen, daß der Zeitplan nicht mehr machbar ist. Wenn die Währungsunion erst im Jahre 2002 oder 2003 stattfindet, dann ist das ja kein Drama. Hauptsache ist, daß sie unter den richtigen Rahmenbedingungen stattfindet, und das müssen wir draußen ganz klar sagen. Dann werden, glaube ich, viele Sorgen genommen. Wenn wir die Argumentation so offen führen, wird auch wieder neues Vertrauen entstehen. Vertrauen etwa der Wirtschaft, das wir brauchen, um die Dinge voranzubringen. Wir dürfen die Diskussion nicht belasten mit neuen Visionen. Mit der Vision beispielsweise, wie sie von einigen vorgetragen wird, daß jetzt als nächstes eine europäische Verfassung präsentiert, nun also über Maastricht hinaus geschritten werden müßte. Nein: Wir müssen die Dinge jetzt stabilisieren und neues Vertrauen schaffen. Das ist für die wirtschaftliche Entwicklung der Industrie von ganz entscheidender Bedeutung.

Wir brauchen schließlich ein umfassendes Aktionsprogramm für mehr Deregulierung, denn: Europa ist ein schwerfälliger Koloß geworden mit viel zu hohen Steuern und Abgaben, mit viel zu starren Arbeitszeiten und viel zu unflexiblen Arbeitsmärkten. Wir leiden insgesamt an viel zu viel Bürokratie und administrativen Hemmnissen, zu vielen staatlichen Monopolen und zu wenig koordinierter Forschungs- und Entwicklungspolitik. Wir müssen wieder beweglicher und schlanker werden, Gewichte abwerfen, liberalisieren und deregulieren sowohl auf nationaler als auch auf europäischer Ebene, und die viel gescholtene Europäische Kommission hat hierzu die Initiative ergriffen und dem jüngsten Brüsseler Gipfel der Staatschefs ein Weißbuch zur Lage der europäischen Wirtschaft vorgelegt, in dem alle Themen angesprochen werden, denen wir uns widmen müssen, um wieder mehr Innovationsprozesse einzuleiten.

Nun haben wir die Aufgabe, nicht bei dem Weißbuch stehenzubleiben, sondern nach der schonungslosen Analyse zu konkreten Aktionen in Sachen Deregulierung überzugehen, und dies soll nach dem Auftrag des Gipfels auf dem nächsten Gipfel der Staatschefs im Juni in Korfu geschehen. Wir erhoffen uns ein konkretes Aktionsprogramm zur Verbesserung der Wettbewerbsfähigkeit der europäischen Wirtschaft, das nicht nur den kleinsten gemeinsamen Nenner wiederspiegelt, sondern die Themen anspricht, die wir anpacken müssen, um Europa weiterzubringen.

Welche Felder muß nun ein solches Aktionsprogramm umfassen?

Wir müssen zunächst unsere Forschungs- und Entwicklungspolitik korrigieren und zwei Defizite ausgleichen - sowohl ein quantitatives als auch ein qualitatives. Das quantitative liegt darin, daß wir mit unseren Forschungsaufwendungen in der europäischen Gemeinschaft weiter unseren Mitkonkurrenten Japan und USA hinterherhinken. Während diese beiden Länder rund drei Prozent ihres Bruttosozialproduktes für Forschung und Entwicklung aufwenden, sind dies in Europa nur zwei Prozent. Der qualitative Aspekt ist mindestens ebenso wichtig. Wir müssen weg von einer Überbetonung der Grundlagenforschung und uns stärker auf anwendungsorientierte Technologien konzentrieren.

Wir müssen weg von den viel zu vielen scheinbar spektakulären Großprojekten der Vergangenheit wie HDTV, Großrechner, etc.

und uns der Förderung generischer Technologien zuwenden, d.h. den Technologien, die nicht nur für einen kleinen Ausschnitt der Wirtschaft etwas bringen, sondern die Spillover-Effekte für möglichst viele Branchen haben. Dabei müssen wir die Verfahren entscheidend vereinfachen. Die Zeitspanne von einem Antrag auf Förderung bis zum Fließen des ersten Geldes ist in der Vergangenheit viel zu groß gewesen. Hier müssen wir vereinfachen und beschleunigen, also neue Techniken finden. Wenn heute beispielsweise Wilhelm-Konrad Röntgen die Röntgenstrahlen entdecken wollte, wäre er wahrscheinlich schon im Antragsverfahren gescheitert. Man darf sich nicht wundern, daß junge dynamische Forscher dem Standort Europa den Rücken kehren und woanders hinmarschieren, um dort schneller und effizienter zum Zuge zu kommen. Hier müssen unbedingt Veränderungen stattfinden.

Wir müssen auch weg davon, nur die Großunternehmen zu fördern und die kleinen und mittleren Unternehmen nicht zu sehen. Wieviele Mitnahmeeffekte es von großen Unternehmen in der Vergangenheit gegeben hat, das kann sehr genau analysiert werden, während die kleinen und mittleren sich mit höchst bescheidenen Anteilen zufrieden geben mußten. Auch hierzu haben wir Veränderungen vor. Wir werden allein durch die Vereinfachung der Verfahren die Chancen des Mittelstandes erhöhen, und wir werden die Programmstrukturen so verändern, daß der Mittelstand größere Chancen erhält. Wir werden mehr Programme in den Größenordnungen von 100.000 ECU auflegen, die für Großunternehmen uninteressant sind und so den kleineren und mittleren Unternehmen zu gute kommen. Last not least müssen wir die Zusammenarbeit zwischen Wirtschaft, Universitäten sowie privaten und staatlichen Forschungseinrichtungen verbessern. Auch hier hat es in der Vergangenheit viele Defizite gegeben, die wir jetzt mit dem vierten Forschungsrahmenprogramm beseitigen.

Die zweite große Entwicklung, die wir nicht verschlafen dürfen, ist die aufkeimende Informationsgesellschaft. Wir haben es dabei mit einer revolutionären Entwicklung zu tun, die vielfach in ihrer wirtschaftlichen und sozialen Dimension noch nicht erkannt worden ist, wobei sie für die Unternehmen auch wieder eine neue Herausforderung bedeutet. Die neuen Informations- und Kommunikationstechnologien machen das ganze Wirtschaftsgeschehen noch transparenter als in der Vergangenheit. Dadurch wird der Wind des Wettbewerbs noch schärfer wehen. Weltweit werden die Unternehmen zu noch viel schnelleren Reaktionen gezwungen als früher, und darauf muß sich jeder einstellen. Auf der anderen Seite entstehen neue Chancen, neue Märkte, neue Anwendungen, die wir ergreifen müssen, wobei insbesondere auch zur Kenntnis zu nehmen ist, mit welchem Tempo in den USA die Communication Highways errichtet werden.

Was alles wird neu entstehen?

Es entstehen immer mehr neue Dienste, wie etwa Electronic Mail, Bildtelefon und elektronische Zeitung. Teleshopping und Telebanking zeigen etwa, wie schnell sich die Umstände verändern, insbesondere auch durch den weltweiten Datenaustausch. Durch Electronic Data Interchange wird es zu ganz erheblichen Veränderungen kommen, die auch die Arbeitswelt betreffen. Ich nenne als Stichwort nur Teleworking. Auch im Bildungssektor bieten die neuen Technologien neue Anwendungen. So wird individueller Fernunterricht per PC sicherlich ein Thema der Zukunft sein.

Das betrifft den privaten Bereich, aber auch die öffentlichen Bereiche werden tangiert sein. So wird der Verwaltungssektor stärker vernetzt werden, wie es z.B. in Deutschland für den Informationsverbund Bonn-Berlin geplant ist. Im Ausbildungssektor werden Bibliotheken, Universitäten und Schulen enger miteinander vernetzt. Im Gesundheitsbereich wird die Telemedizin kommen - eine hochinteressante Entwicklung. Im Umweltbereich werden Umweltüberwachungssysteme eingeführt werden; der Verkehrssektor wird geprägt sein durch elektronische Leitsysteme sowie die Erfassung und Abrechnung von individuellen Nutzungsgebühren.

Es kommen völlig neue Anwendungen auf uns zu, die aber auch neue Märkte sind. Auf diesen Märkten können viele neue Arbeitsplätze entstehen, wenn wir alle die Barrieren wegräumen, die diesen neuen Entwicklungen im Wege stehen. Es gilt aber auch, die Informations- und Telekommunikationsnetze beschleunigt auszubauen. Dafür muß die öffentliche Seite die Standardisierung vorantreiben. Ich nenne nur Euro-ISDN-Breitbandnetz als Stichwort. Aber natürlich muß der gesamte Fernmeldebereich und insbesondere der Postsektor dereguliert werden. Wir müssen weg von den vielen nationalen Monopolen, die uns immer noch in starren Strukturen belassen.

Wir, d.h. die Europäische Kommission, haben Zeitpläne vorgeschlagen, um die Liberalisierung im Fernmeldebereich, wie etwa der Telefondienste, zu beschleunigen. Wenn ich mir die schwierige Diskussion zu der kleinen Postreform in Deutschland anschaue, bin ich aber davon überzeugt, daß wir in Europa noch energischer vorangehen müssen. Wir werden ansonsten überrollt von unseren Weltmarktkonkurrenten, die schon begehrlich auf den europäischen Markt schauen und mit der neuesten Technologie sozusagen "Gewehr bei Fuß" stehen. Wir dürfen diese Entwicklungen nicht verschlafen !

Unser Hauptanliegen ist in jeder Beziehung die internationale Wettbewerbsfähigkeit der europäischen Unternehmen, die wir nicht unbegrenzt neuen Belastungen aussetzen dürfen. So ist die Entwicklung von umweltfreundlichen Technologien zwar eine Zukunftsaufgabe, aber wir können aus Umweltgründen nicht erneut an der Steuerschraube drehen. Die Diskussion um die CO_2-Energiesteuer beispielsweise ist eine Diskussion, die wir nur dann weiterführen sollten, wenn wir uns strikt festhalten am Kriterium der Konditionalität. Mit anderen Worten: Die Einführung einer CO_2-Steuer in Europa mit all den Belastungen für die Wirtschaft darf nur unter der Voraussetzung erfolgen, daß unsere Hauptkonkurrenten auf den Weltmärkten, also die Japaner und Amerikaner, vergleichbare Maßnahmen auf ihrem Territorium vornehmen, so daß wir unserer Wirtschaft nicht einen neuen Wettbewerbsnachteil zumuten. In Japan ist keine entsprechende Neigung erkennbar, und die Clinton Administration, die mit einem sehr anspruchsvollen Programm zur CO_2-Reduktion angetreten ist, mußte feststellen, daß ihr Programm nicht realisierbar ist. Aber solange die anderen nicht mitziehen, können wir keine einseitigen Vorleistungen in unserer schwierigen wirtschaftlichen Situation erbringen. Also auch hier gilt es, mit Vernunft und Augenmaß die Dinge in Europa voranzutreiben.

Wir dürfen nicht vergessen, wenn wir über die Rolle des Staates sprechen, daß der Staat schon deswegen eine enorme Rolle in der Wirtschaft spielt, weil er als Nachfrager öffentlicher Leistungen auftritt und damit maßgeblich die Qualität des Angebots und des Innovationstempos bestimmt. In der Vergangenheit ist oft genug der Fehler gemacht worden, daß sich der Staat als Nachfrager zu sehr auf die Altindustrien, wie z.B. Kohle und Stahl konzentriert hat. Reine Erhaltungssubventionen, wie sie in der Vergangenheit Gang und Gebe waren, sind aber nicht mehr als pure Ressourcenverschwendung und tragen nicht zum technischen Fortschritt bei. Glücklicherweise sind wir jedoch auch dort einen erheblichen Schritt weitergekommen. Es gibt z.B. im Schiffbausektor eine klare Degressivität der Beihilfen, und im Stahlsektor gibt es nur noch Subventionen, wenn sie mit dem Abbau von Kapazitäten verbunden sind. Ich meine: Da geht der Zug in die richtige Richtung.

Ich will zum Abschluß noch ein paar Worte zur Handelspolitik sagen:

Die Handelspolitik ist ein wichtiger Faktor für die industrielle Weiterentwicklung, und der erfolgreiche Abschluß der Uruguay-Runde des GATT ist sicherlich ein wichtiger Durchbruch. Er ist auch von großer psychologischer Bedeutung, weil die Gefahr des Rückfalls in den Bilateralismus gebannt wurde. Aber wenn man jetzt die Ergebnisse im Detail analysiert, muß man feststellen, daß die europäischen Industrieinteressen bei diesen Verhandlungen nicht in dem Maße zum Tragen kamen, wie es notwendig gewesen wäre, und einzelne Branchen, die jetzt im Detail die Ergebnisse studieren, fangen schon zu klagen an in der Erkenntnis, daß auf dem Altar der Agrarwirtschaft die industriellen Interessen geopfert worden sind.

Wir haben zwar das Blair-House-Abkommen gehalten und einiges für die französischen Landwirte erreicht, aber nicht genug erreicht für die europäische Industrie, denn es bleibt in vielen Bereichen bei Spitzenzollsätzen in den Vereinigten Staaten von Amerika und auch in anderen Mitkonkurrentenstaaten. Wir dagegen haben die Zölle deutlich intensiver abgebaut als diese Länder, eben weil wir auf der anderen Seite einen Agrarkompromiß machen mußten. Es wird daher jetzt höchste Zeit, daß wir die zweite Agrarreform in der Europäischen Union einleiten, denn wenn ich mir den Haushalt der Europäischen Union betrachte und sehe, daß immer noch mehr als 60% des Haushaltes in die Landwirtschaft gehen, dann muß ich mir die Frage stellen, warum wir nicht die Kraft aufbringen, hier endlich weiterzumarschieren.

Natürlich gibt es politische Rahmenbedingungen. Natürlich kann man diesen Zustand nicht über Nacht ändern. Man kann aber wenigstens die Linien für eine neue Agrarreform festlegen, damit wir endlich mehr Budgetanteile für die Zukunft, für die zukünftigen Entwicklungen ausgeben können. Und es ist wichtig - wenn es jetzt in Marrakesch zum Schlußdokument der Uruguay-Runde kommt - ,daß wir neue Themen aufgreifen, und dabei meine ich insbesondere die Fragen von Sozialdumping und Umweltdumping. Hier haben wir es mit einer Problematik zu tun, die unter dem Strich zu Wettbewerbsverzerrungen führt und der sich die neue Welthandelsorganisation annehmen muß. Zwar kann man nicht überehrgeizig fordern, daß es einheitliche Umweltstandards in allen Ländern der Erde gibt. Aber ich kann zumindest für Konsultationsprozesse sorgen, wenn ein Handelspartner einen Markt überschwemmt mit Produkten, die durch Kinderarbeit, Zwangsarbeit und unter schlimmster Schädigung der Umwelt produziert worden sind. Das sind Themen, denen wir uns verstärkt annehmen müssen, und hier muß Europa in die Offensive gehen.

Ein wichtiges Thema der europäischen Industriepolitik ist die Aufgabe der öffentlichen Hände, für eine funktionierende europäische Infrastruktur zu sorgen. Es kann nicht allein die Aufgabe der Unternehmen sein, ein ausreichendes Netz im Energie- und Telekommunikations- sowie Verkehrsbereich herzustellen. Das ist eine öffentliche Aufgabe. Wir brauchen ein europäisches Programm zur Vernetzung, aber nicht nur für die Zwölfergemeinschaft, sondern wir müssen die Beitrittsstaaten und auch Mittel- und Osteuropa einbeziehen. Der Hochgeschwindigkeitszug darf also nicht nur von Paris über Brüssel nach Berlin fahren, sondern er muß heute schon weitergeplant werden in Richtung Warschau und Moskau, so daß wir eine Anbindung Mittel- und Osteuropas erreichen.

Das ist eine große Aufgabe, wobei es sicher nicht so ist - wie es manche Politiker in Bonn vermuten - daß die Union ein riesiges öffentliches Investitionsprogramm mit enormen Belastungen des Budgets auflegen will. Es muß projektbezogen geprüft werden, wie man die notwendigen Investitionen ermöglichen kann. Es gibt bestimmte Projekte, die ausschließlich privat finanziert werden können und andere Projekte, die kurzfristig nicht rentabel sind, bei denen es also einer europäischen Anschubfinanzierung bedarf oder etwa einer Garantie der Europäischen Investmentbank. Wir werden Finanzierungsmodelle und Verfahren entwickeln, damit solche Projekte europäischen Interesses nicht - wie in Deutschland üblich - auf den St. Nimmerleinstag vertagt werden. Deswegen werden wir vorschlagen - und das wird einigen Umweltschützern nicht behagen - einen europäischen Rechtsakt einzuführen mit dem Ziel, daß für europäische Großprojekte ein verkürztes Raumordnungs- und Umweltverträglichkeitsverfahren eingeführt wird.

Selbst neue Schienenwege lassen sich ja kaum mehr in überschaubaren Zeiträumen verwirklichen.

Abschließend möchte ich Ihnen noch einmal sagen, daß es keine Alternative zu einer verstärkten Zusammenarbeit in Europa gibt. Maastricht ist ein richtiger Schritt, er ist aber kein Quantensprung zu einem europäischen Bundesstaat. Brüssel will nicht den Einheitsbrei, will nicht die Gleichschaltung, sondern wir wollen versuchen, unsere Kräfte zu bündeln, damit wir in Europa ein Stück besser vorankommen als in der Vergangenheit. Allein dies ist - davon bin ich überzeugt - das Unternehmen Europa wert.

Diskussion des Referates *Wenzel*

(1) Bezüglich des Inhalts des Begriffs der Industriepolitik wird auf den möglicherweise zu sehenden Widerspruch hingewiesen, daß sich die Kommission der EG für eine mehr oder weniger aktive Industriepolitik ausspreche, wohingegen einzelne Staaten, z.B. die Bundesrepublik, eher der Auffassung zuneigen würden, auf eine aktive Industriepolitik zu verzichten.

Herr Wenzel betont, daß auch nach Meinung der EG-Kommission die betriebene Industriepolitik lediglich "horizontal", d.h. nicht interventionistisch in bestimmte Bereiche gestaltet sein sollte. Vielmehr gehe es darum, die Rahmenbedingungen innerhalb der EG so zu setzen, daß die erwünschten Wachstumsraten realisiert werden könnten.

Bezüglich der als Beispiele für eine gezielte Industriepolitik genannten Bereiche des Transportwesens und der Hochgeschwindigkeitszüge, bei denen es durch die staatliche Anschubfinanzierung zu im Grunde interventionistischen Eingriffen käme, weist Herr Wenzel auf die klare Präferenz für private Finanzierungsmodelle auch in diesen Bereichen hin.

(2) Im Zusammenhang mit den Konvergenzkriterien des Maastricht-Vertrages wird gefragt, welche Konsequenzen daraus zu ziehen seien, daß gegenwärtig nur ein Staat, nämlich Luxemburg, sämtliche Kriterien erfülle. Außerdem können Probleme dadurch entstehen, wenn einzelne Staaten die Vorgaben nur zeitweise erfüllen.

Der Referent vertritt hierzu die Ansicht, daß die Kriterien inhaltlich eingehalten werden müssen. Der zeitliche Ablauf sei demgegenüber nachrangig, so daß durchaus noch Verschiebungen im

"Fahrplan" möglich sind. Außerdem enthalte der Vertrag Sanktionsmechanismen, mit denen die Mitgliedsländer in die gewünschte Richtung diszipliniert werden könnten.

(3) Zum Bilanzrichtliniengesetz wird darauf hingewiesen, daß es hierdurch gerade für kleine und mittlere deutsche Unternehmen zu erheblichen Problemen komme, wenn es - wie vorgesehen - mittels Konventionalstrafen rigoros umgesetzt werden sollte.

Herr Wenzel teilt diese Auffassung und vertritt die Meinung, daß dieses Thema politisch verhandelt und gelöst werden müsse. Es könne nicht sein, daß sich die Bundesrepublik durchweg als "Musterschüler" verhalte, von den übrigen Ländern aber kaum Entgegenkommen gezeigt würde, obwohl dies ein für die deutschen Unternehmen wirklich gravierendes Problem darstelle. Insofern müsse dieses Problem u.U. sogar als "Gipfelthema" angegangen werden.

Wer forscht am besten in Deutschland?

oder

Wie behindern wir uns am besten innovativ zu sein?

Horst Linn

1. Einleitung

Es ist mir eine Freude, hier und heute zu Ihnen sprechen zu dürfen. Bitte erwarten Sie zu dem Thema "Wer forscht am besten in Deutschland?" von mir keine Aufrechnung von Max-Planck gegen Fraunhofer oder Universität Ingolstadt gegen Universität Erlangen/Nürnberg. Ich möchte vielmehr aus mittelständischer Sicht darstellen, was momentan Sache ist, was uns drückt, was uns an den "Großen" nicht gefällt, was uns an den Universitäten nicht gefällt - und da gefällt uns einiges nicht -, und was uns vor allem an der Bundesregierung, der Landesregierung und an deren Mittelverteilung nicht gefällt. Ich versuche das möglichst praktisch darzulegen, ich will Sie nicht mit Zahlen überfrachten, sondern ich möchte Ihnen nur die Abhängigkeiten eines kleinen Unternehmens wie dem unseren, vom F + E Markt, darlegen. In meinem Unternehmen sind ca. 100 Leute beschäftigt, wir exportieren in 60 Länder, 70% aller unserer Produkte finden Verwendung in werkstoff-wissenschaftlichen Labors vom Umweltschutz, von der Nuklearindustie über die Raumfahrt bis hin zur normalen Keramikfabrik. Wir sind also, wie Sie sehen, sehr stark vom Außenhandel abhängig, und wir sind sehr stark von neuen Technologien abhängig. Im internationalen Vergleich ist unser Forschungsquotient in letzter Zeit sehr stark zurückgegangen; im Verhältnis zur USA haben wir zwar kurzfristig etwas aufgeholt, aber inzwischen sind wir wieder zurückgefallen. Im Vergleich zu Japan sind unsere Forschungsausgaben ständig rückläufig. Daß dies kein

Mengenproblem der Forscher und Institute ist, mag Ihnen an dem Beispiel Maschinenbau gezeigt sein. Wieviele Forschungseinrichtungen sich mit relevanten Themen befassen, wieviele nicht-universitäre Institute, Max-Planck, Fraunhofer oder ähnliche, oder wieviele Mitarbeiter dort tätig sind, ob universitär oder nicht-universitär, zeigt Ihnen die Tabelle. Es gibt eine beträchtliche Anzahl an Instituten und Forschern, nur ob dies alles so effizient ist, wie wir das in einer wirtschaftlich schwereren Zeit und Lage brauchen, bezweifle ich.

2. Fehlgeleitete Innovationsunterstützungen und schlechte Koordination

Lassen Sie mich mit etwas ganz Einfachem beginnen. Wenn ich an meine Jugendzeiten zurückdenke, erinnere ich mich an meinen kleinen Steyr-Puch Rennwagen und an seine Enge. In dieser Enge gab es einen Überrollkäfig, der den Fahrer rund um schützen sollte. Dann hat man in einen solchen Überrollkäfig eine Seitenstrebe eingeschweißt. Sie denken jetzt sicherlich genauso wie ich an Seitenaufprallschutz. Das lästige Rohr im Käfig wurde entfernt und es wurde schon damals vor 25 Jahren in die Türe eingeschweißt. Eine gefeierte Innovation der Sicherheit der Automobilindustrie in den 90er Jahren, wohlgemerkt in den 90er Jahren. Ich frage mich ernsthaft, ist dies bei Rohrkosten von 2 DM und einem Arbeitsaufwand von 2 Minuten ein Argument für noch mehr Geld für weniger Auto?

Apropos Automobilindustrie: Die ganz Großen, die mit dem Stern oder ähnliche, nehmen Sie deren Bilanzgewinn zu guten Zeiten minus F&E-Förderung durch Land, Bund, EG und andere Förderungen, und dann sehen Sie einmal, ob dann noch ein Gewinn übriggelieben wäre - die Lieblinge der Banken.

Jeder für sich, ist im Prinzip das Motto, aber in schwierigen Zeiten sollten doch vor allem auch große Unternehmen daran denken, sich volkswirtschaftlicher zu verhalten.

Ist es da nicht besser, die kleinen Forscher beschäftigungswirksam zu markt- und natürlich exportorientierter Innovationspolitik zu führen? Worüber wir in diesem Zusammenhang sprechen, ist der internationale F&E Wettbewerb, dem wir alle ausgesetzt sind. Unter kleinen Forschern möchten wir aber auch nicht, die durch "Technologiediebstahl" von Arbeitsgerichten geschützten Spinoff's verstanden wissen, auch nicht, wenn diese sich häufig von großen Firmen, die sie als Zulieferer ausnutzen, zu diesen Taten ermutigt sehen.

Weil die Standortfaktoren Deutschlands besondere Leistungen und Innovationsszenen in unserem Land nötig machen - sehr schnell nötig machen - sind wir aus Mittelständler-Sicht in den letzten Jahren kräftig in Verzug geraten. Es wird viel geforscht in der Großindustrie und im Mittelstand, sowie in MPI's (Max-Planck-Institut), Fraunhofer's, KFK´s, KFA´s (zu Nuklearzeiten eine Forschungshochburg), aber auf entscheidenden Gebieten wird heute nicht genug oder schlecht koordiniert. Wieso verschickt sonst eine bayerische Universität Fragebögen für ein Münchner High-Tech- und Rüstungsunternehmen und lauscht damit Mittelständler aus, wo und was sie gerade forschen. Ist es nicht traurig, wenn man so Konversionsmärkte sucht?

Solche Deckmäntelchen tragen nicht die Züge von Vertrauensbildung, um die Zusammenarbeit zwischen der Großindustrie, den Universitäten, Forschungseinrichtungen und dem Mittelstand zu fördern.

Gerade jetzt ist es modern, in unseren Regierungen und Parlamenten von Zukunftssicherung zu sprechen. Wichtiger wäre es, die Akzeptanz und den Stellenwert von Forschung und Technologie in unserer Gesellschaft anzuheben. Die Medien sollten das Ihre dazu beitragen, sie tun aber genau das Gegenteil - Rechnen ist eben nicht jedermanns Stärke.

3. Kapitalrisiko und Strukturwandel

Sicher gelingt es der Innovationsbasis im Mittelstand schneller wieder ein F&E freundliches Klima in der Bevölkerung zu schaffen als den Großen. Der Fortschritt läßt sich so günstiger beeinflussen, weil eben die Frau oder der Mann, sprich Chefin oder Chef, mit ihrer Person und ihrer ganzen mütterlichen oder väterlichen Verantwortung dahintersteht und häufig auch mehr finanzielle Risikobereitschaft trägt. Nur gut, daß es nicht für alles Pläne gibt.

Nun entstehen natürlich Klüfte zwischen armen und reichen Unternehmen, sprich Klüfte des Wissens und des Kapitals. Damit zeigt sich, daß der kleine Unternehmer es viel schwerer hat mit Geld und Kapital innovativ zu sein - es müssen eben dann Ideen und Visionen sein, die der Chef seinen Mitarbeitern gibt, die den Troß von Teilzeitforschern in den Klein- und Mittelbetrieben zu Höhenflügen ohne Fallschirm und auch zu manchmal spektakulären technischen Erfolgen verhelfen. Dieser Fallschirm wäre in solchen Fällen meistens das finanzielle Polster, das Eigenkapital oder eben thesaurierte, angesammelte Gewinne, die meist nicht vorhanden sind. Nicht immer sind das Marketing und der Vertrieb dann diesen starken Kreativitätsschüben in Klein- und mittelständischen Unternehmen gewachsen oder darauf vorbereitet.

Fast immer bedeutet Innovation auch Strukturwandel in den Unternehmen; dies kann Wachstum und Beschäftigung bedeuten. Wer den Strukturwandel gut verarbeitet, hat wirtschaftlichen Erfolg - das ist einsichtig. Der Strukturwandel hin zu mehr Innovation duldet keine Bequemlichkeit von Platzhirschen in den Unternehmenshierarchien; notfalls muß eben der Chef mit Motivation und Druck und nicht mit dem Staubzuckerstreuer, den Betrieb zum innovativen, flexiblen Unternehmen ausrichten. Ich hoffe, Sie haben verstanden, was ich damit sagen will, daß das Motivieren von Mitarbeitern irgendwo seine Grenzen hat, einen "faulen Hund" kann man selbst durch schöne Worte nicht zum Jagen bringen und aus der Wochenendkrankheit holen.

Es ist bekannt, daß flache Pyramiden, so wie sie in KMU's (Klein- und mittelständischen Unternehmen) vorhanden sind, weniger Aufstiegsenergie verbrauchen als steile Cheops-Pyramiden, die in Großbetrieben reichlich vorhanden sind. Natürlich brauchen die KMU's Hilfe, und dabei spreche ich nicht in erster Linie von Geld, sondern von den manchmal komplizierten, harten fundamentalen Beiwerken, die zur Realisierung noch so genialer Ideen innovativer Mitarbeiter oder Unternehmer notwendig sind.

Universitäten, Forschungsinstitute und Fachhochschulen sollten Kataloge für Diplomarbeiten und Doktorarbeiten semesterweise herausgeben und an interessierte Unternehmen verschicken, um einfach auszuloten, was geht, was Sache ist oder was gerade gemacht wird oder realisierbar scheint. Dies wäre mit geringem Aufwand und ohne die Schaffung neuer Beamtenplanstellen leicht zu realisieren. Eine derartige Abstimmung mit der Industrie oder den Anwendern wäre natürlich sehr erwünscht und nötig.

Also gehen wir zur Technologietransferstelle der Region, der Fachhochschule oder der Universität. Meist wird dann Großes besprochen und auch ein Partner gefunden. Für große Unternehmen immer eine leichtere Übung als für kleine. Für Unternehmen auf dem Lande immer schwieriger als für die in den Ballungsgebieten. Aber dieser Zusatzbrennstoff für das Innovationsfeuer in den Unternehmen ist eben notwendig, um die Firmen überleben zu lassen und um in ihnen und in unserer Volkswirtschaft für Zukunftswachstum zu sorgen.

Großunternehmen können und haben diese Kontakte nicht automatisch viel leichter im Griff als kleine - sieht man von der Breite ihrer Palette und dem Kapital ab und unter Umständen auch von der Qualifikation des Kontaktpersonals zur Universität.

4. Forschung ist zu wenig ausgerichtet auf deren Verwertbarkeit

Und nun das ABER..., denn die Gegenseite, die Universität oder das Forschungsinstitut haben vor Siemens, MBB oder MAN üblicherweise mehr Respekt als vor einem Mittelständler. Meistens hat der Chef nicht, wie ich heute, einen Anzug an, sondern einen Pullover oder ein kariertes Hemd. Von Respekt möchte ich nun KMU's gegenüber nicht gerade sprechen, eher manchmal von Überheblichkeit.

Dies folgt, weil die Forschung in Deutschland sich zu sehr am wissenschaftlich-technisch Machbaren orientiert und nicht an Umsetzbarkeit und gewinnbringender Massenproduktion oder kundenorientierter Produktion.

Ein kleines Beispiel aus der Keramikbranche soll dies untermauern:

In Deutschland wollte man gleich mit dem keramischen Turbolader anfangen, kann ihn aber bis heute noch nicht in vernünftigen Mengen produzieren. In Japan hat man zuerst Silicium-Karbid Rasierklingen hergestellt und in großen Stückzahlen produziert. In der Ukraine hat man mit der Produktion von ZrO_2-Skalpellen begonnen und Erfahrungen gesammelt - und sich dann zum Turbolader vorgearbeitet. Dafür kann man ihn heute auch produzieren. Dies sind beispielhafte Chancen für KMU's, da dort eher kleine Innovationen verwendet und weiterentwickelt werden könnten. Dies funktioniert aber nur, wenn Forschungseinrichtungen, wie schon angesprochen, nicht nur die 15, 20 oder 50 großen Industrieunternehmen in Deutschland beim technischen Transfer unterstützen und deren technologische Weiterentwicklung vorantreiben. Das Problem dabei ist, daß bei neuen Technologien zum

Teil die Investitionskosten für Klein- und mittelständische Unternehmen viel zu hoch sind.

Ein weiteres Beispiel aus der Mikrosystem- oder Mikrostrukturtechnik soll dies illustrieren:

Deutschland ist in diesem Bereich in der Welt führend, aber man sucht noch krampfhaft nach marktfähigen Anwendungen. In Deutschland gibt es bisher nur eine Firma mit eigener Produktionstechnologie - die DASA (MBB). Eben diese Firma bekam wohl über die Hälfte ihrer Forschung vom Staat finanziert. Kleine Unternehmen sind bei solchen Technologien außen vorgeblieben.

Natürlich gibt es auch einige positive Entwicklungen. Vor allem auf dem Gebiet der Mikrochirurgie wurde von Forschungsinstituten zusammen mit Klein- und mittelständischen Unternehmen viel geleistet. Aber Probleme kommen dann, wenn wirklich produziert werden soll, auch auf die kleinen Unternehmen zu.

Die Institute dürfen und sollten auch nicht produzieren, um die KMU's nicht wegen der hohen Investitionskosten neuer Produktionen bei der leichten Realisierung zu bedrängen. Dasselbe gilt für Großforschungsgeräte, z.B. KFK-Synchotron oder ähnliches; diese Dinge haben andere Maßstäbe und sind damit nicht ohne weiteres zu vergleichen oder zu messen. Ob Institute auch Teile, die sonst nicht hergestellt werden könnten, produzieren dürfen, darüber müßte sicherlich nachgedacht werden - dies ist aber durchaus gefährlich, da dadurch natürlich wieder Konkurrenz für Klein- und mittelständische Unternehmen entsteht, aber solche Vorgehensweisen müßten natürlich partnerschaftlich abgesprochen und abgestimmt werden.

5. Ausstattung der Forschungseinrichtungen

Noch ein Wort zum Thema Hardware für die Forschung an Universitäten und Fachhochschulen in Zusammenarbeit mit der Industrie.

Da es sich bei der Zusammenarbeit mit der Industrie überwiegend um relativ kurzfristige Projekte, eindeutig zielgerichtete Projekte handelt, sind die Gelder, die dabei bewegt werden, meist nicht so hoch, um zum Beispiel Investitionen für Geräte und Apparaturen von 50 bis 300 TDM davon bestreiten zu können. Das heißt aber, selbst guten Professoren mit hervorragendem Wissen und einem Erfahrungsschatz, der wirklich praktisch-technologisch nutzbar wäre und die darüber hinaus ein gutes Verhältnis zur Industrie haben, fehlt es oft an der nötigen Ausstattung in ihren Labors und Instituten. Gerade bei technisch-marktorientierten Bereichen, wie neue Werkstoffe, Energie, Automatisierung, Mikrosystemtechnik, Biowissenschaften usw. wäre dies jedoch ein absolutes Muß, ohne das wir in der Zukunft scheitern werden.

Insgesamt ist das Hauptproblem, daß die Forschung in Deutschland zwar gut, aber zu wenig koordiniert und anwendungsbezogen ist. Zu wenig anwendungsbezogen soll nicht heißen, daß nur noch an Industrieproblemen geforscht wird, sondern daß Forscher sich überlegen sollten, wo sich Ergebnisse und auch Teilresultate ihrer Forschung in Produkte oder Produktionsmethoden umsetzen lassen. Gerade auf diesem Gebiet würden sich die flexiblen kleineren Unternehmen verstärkt als Partner hervorragend eignen.

Das heißt, kleine Unternehmen können ebenso wie die Großen forschen und entwickeln, also innovativ sein, wenn die wissenschaftliche Infrastruktur in der Fläche stimmt und diese Infrastruktur durch die KMU's flexibel und effizient genutzt werden kann.

Trotz dieser angestrebten Vielfalt und Breitbandigkeit muß allerdings, gerade im Interesse der Innovation von kleinen Unternehmen, vor zuviel flächendeckendem Gießkannen-Länderehrgeiz gewarnt werden.

Mittel werden dann meist nach dem Gießkannenprinzip verteilt und damit wird eine effektive Forschung auch im kleinen Bereich schwer möglich. Das muß kein Widerspruch sein; man soll die Infrastruktur schon über die Fläche verteilen, aber dann ganz gezielt Projekte und Technologien fördern - also flächendeckende Verteilung der Mittel, bei klarer Schwerpunktsetzung in der Region.

Negativbeispiele sind z.B. wiederum im Werkstoffbereich zu finden. Wenn man sich, und das ist nur ein Teil der Geschichte, vorstellt, daß Werkstofforschung in Bayreuth, Karlsruhe, Göttingen, Erlangen, Nürnberg, Jülich, Stuttgart, Berlin, Göttingen, Freiberg, Dresden, Jena und in Adlershof - also auch ex-Berlin-Ost und Halle usw. - durchgeführt wird, dann muß man schon sagen, daß da vielleicht doch zu viel nach dem Gießkannenprinzip vorgegangen wird.

Neuestes Beispiel in diesem Zusammenhang ist, daß das Land Brandenburg eine Ingenieur-Hochschule für Bauwesen zu einer Universität mit einem Lehrstuhl für Verfahrenstechnik umbauen will, obwohl eine solche Einrichtung vor der Haustüre - nämlich in Berlin - bereits existiert.

Eine Bündelung der Kräfte in Universitäten, Max-Planck- und Fraunhofer-Instituten, in Großforschungseinrichtungen wie KFK, KFA usw. und eine bitter notwendige bessere Koordination mit der Industrie, und dabei nicht nur mit den großen Partnern wie Siemens, Daimler-Benz, Mannesmann, AEG, Thyssen usw., hilft der Nation und der Stärkung einer breiten Basis, selbstredend mit dem Ziel eines maximalen Kundennutzens auf allen, auch den unbequemen Märkten und im Export. Und wenn ich von der Basis spreche, dann meine ich die mittelständischen Unternehmen, die noch Steuern in diesem Land bezahlen, welche zum Teil von den großen Unternehmen anschließend für F&E und anderes ausgeben werden, obwohl in den mittelständischen Unternehmen die F&E-Durchlaufzeiten für ähnliche Projekte im Durchschnitt wesentlich kürzer sind als in den Konzernbetrieben.

Es darf auch behauptet werden, daß - und nicht nur wegen des Overheads - die kleinen Unternehmen im Verbund und mit der Hilfe externer Kräfte, also z.B. Universitäten, wirtschaftlicher, sogar viel wirtschaftlicher arbeiten könnten.

Sie können sich z.B. nicht vorstellen, daß in einer modernen Technologie, beispielsweise an der Universität Erlangen, Kristallzuchtanlagen für neue Zukunftswerkstoffe mit der Industrie entwickelt werden und daß das gleiche an mehreren anderen Plätzen in Deutschland auch geschieht. Vor allem, daß dann dort nochmals eigene Hardware entwickelt oder sogar in Japan gekauft wird. Oder, daß z.B. eine 2-Mann-Firma über Dumpingpreise an Aufträge von Raumfahrtfirmen gelangt - 2-Mann-Firmen, die sich aus Aufträgen aus mittelständischen Unternehmen herauskristallisiert haben und somit das Wissen, das dort in Unternehmen und Forschungseinrichtungen vorhanden ist, weiter aufteilen, also das mühsam erarbeitete Wissen vor Ort an einzelnen Stellen eher schwächen.

Versuchen sie, wie in einem Fall früher geschehen, die Gerichte zu bemühen, so hören Sie bei den deutschen Arbeitsgerichten "Diebstahl sei Zueignung" mit der Chance, daß der Ex-Mitarbeiter ja vielleicht noch etwas dafür bezahlen könne oder nach 2 Jahren Prozeß sei diese ganze Technik ja sowieso veraltet. Im Hinblick darauf, daß sie Spinoffs in den Unternehmen haben, daß Sie eine Entwicklung für irgend etwas betreiben, diese Art Leute dann mit dem gesamten Know-how weggehen, sprich Industriespionage betreiben, dann sind dies auch Themen, die in der deutschen Forschungspolitik überhaupt keine Gegenliebe finden sollten und bei Arbeitsgerichten verständlicherweise schon gar nicht, denn da herrscht leider mehr Umverteilung als Gerechtigkeit.

Vor allem für kleine Vertragsunternehmen gibt es natürlich auch Probleme mit den F&E-Verbündeten, sei es nach oben mit der Industrie oder sei es nach nebenan mit den Universitäten oder den Forschungsinstituten. Denn die Vertragsabteilungen und Rechtswissen sind in den kleinen Unternehmen nicht so ausgebaut wie in den großen Unternehmen; bei externen Beratern oder Juristen fehlt es meistens an fach- und projektspezifischen, einfühlsamen Kenntnissen. Es wäre zum Beispiel eine schöne Aufgabe, eine mittelständische Vertragsprüfungs- und Klärungsstelle an einer Universität zu schaffen. Zentral eingerichtet, mit Juristen besetzt, um dort eine entsprechende Stelle zur Förderung des Mittelstandes zu schaffen - und nicht nur an Technologieberatungsinstitute, wie z.B. das OTTI.

Natürlich kann der Mittelständler keine Großprojekte - und wenn, dann nur als Unterauftragnehmer - durchführen. Im Hinblick auf die vorher angedeuteten Spinoffs werden meiner persönlichen Meinung nach in unserem Land generell zu große Schwerpunkte bei Großprojekten gesetzt. Renommierobjekte sind, auch wenn sie für den Forschungsminister sehr imageträchtig sind, in der Regel nichts für den Mittelstand. Diese sind zu teuer, und häufig verdient der Hauptauftragnehmer, wenn er dann schon Unteraufträge verteilt, für die Verwaltungs- und Koordinationsarbeit, unbeanstandet aus Bonn oder Brüssel, ein Vielfaches aus den untervergebenen Einzelprojekten an die Mittelständler.

Dies ist uns selbst bei einem Raumfahrtprojekt passiert. Wir haben den Betrag X bekommen, das federführende Unternehmen den Betrag Y, der größer war als der Betrag X. Das federführende Unternehmen hat nichts gemacht außer 5 bis 6 Meetings veranstaltet und unsere Berichte gelesen und korrigiert.

Diese Beispiele führen dann noch dazu, daß sich der Mitarbeiter durch den Auftraggeber, wie vorhin schon erwähnt, motiviert fühlte, sich selbständig zu machen. Dadurch fließt ihnen dann als mittelständischer Unternehmer kräftig Know-how ab, weil sie eben für irgendwelche speziellen Aufgaben nur einen Mann im Hause haben.

Ich spreche, wenn ich vom Mittelstand spreche, natürlich nicht von Unternehmen mit 100 oder 200 Mio. DM Umsatz aufwärts. Es gibt ja hier in Bayern mittelständische Unternehmen, die 1 Mrd. DM Umsatz machen und sich immer noch als Mittelständler bezeichnen. Die könnten sich an und für sich aufgrund ihrer Gewinnsituation und Gesamtkostenstruktur leichter selbst helfen. Sie müssen nicht von Unteraufträgen zum Drehen oder Fräsen von Spezialteilen für DM 20.000 leben, wie das die kleinen, echten Mittelständler es müssen.

Nochmals zu den Kosten. In kleinen Betrieben machen F&E meistens auch Ingenieure, welche die Routinearbeit vom Angebot bis zur Inbetriebnahme durchziehen müssen und dafür viel Erfahrung und Gefühl mitbringen. Kein kleines Unternehmen in Deutschland kann es sich erlauben an diesen Plätzen Leute mit dem Hang zur 35 Stundenwoche und den üblichen Fehlzeiten zu beschäftigen, sonst wird Innovation auch in diesem kleinen Betrieb mit seinen Kostenstrukturen unbezahlbar teuer und vor allem auch riskant.

Wir brauchen Leistungsträger in den Unternehmen, Unternehmer-Vorbilder vom Inhaber bis in die Meisterebene hinein, die helfen, in diesen flacheren Pyramiden die guten Grundvoraussetzungen der Mittelständler gegenüber den Vollberufsforschern in der Großindustrie zu verbessern.

Gute Kommunikation und ein straff geführter Betrieb ohne die dauernden "Wenn"- und "Aber"-Mitarbeiter, die nach wenigen Berufsjahren schon an Kur und Rente denken, sind in Zukunft stärker gefragt. - Ja, das sind Fakten und Beispiele, Beispiele, die sich auch in Ihrer Nähe finden lassen.

Mir fehlt einfach jedes Verständnis für das große Unternehmensberatergeldbeschaffungsthema "Lean-Management". Ein erfolgreiches Klein- und mittelständisches Unternehmen mußte schon immer "lean" arbeiten, "Leanarbeit" leisten heißt, daß der Chef 250 Stunden im Monat arbeitet und maximal 2 bis 3 Wochen Urlaub macht. Und wenn er nicht eine Handvoll Mitstreiter gleicher Charaktereigenschaft besitzt, dann funktioniert eben High-Tech und F&E in kleinen Unternehmen nicht.

Ein anderer Indikator zum Thema "Wer forscht am besten?" sind natürlich auch Veröffentlichungen und Patente. Nur häufig fehlt einfach in KMU's die Zeit dazu, andererseits ist es nicht immer sinnvoll F&E mit Patenten zu untermauern, da gerade kleine Unternehmen die großen damit auf ihre eigenen Spuren führen.

Natürlich will ich den Erfindern nicht die Freude am beleuchteten Schlüsselloch für Spätheimkehrer nehmen, aber bei der Marktumsetzung, auch wenn es manchmal wegen noch nicht ganz ausgegorener Produkte gefährlich ist, können KMU-F&E'ler schneller sein, ganz gefährlich schnell sogar. Schnell in Märkte vorstoßen, das ist die Devise, schneller als die großen Tanker AEG, MAN oder VW-Beamte.

Natürlich machen häufig Mittelständler mit nahezu genialen Ideen auch die Erfahrung, "die Zeit ist noch nicht reif". in solchen Fällen heißt es Atem haben und Gottvertrauen oder aber eine gute Bank. Aber wo bleibt der Mut der Banken? Diese investieren ihre Gewinne doch häufig lieber in "Großverluste" oder im Ausland als in Mittelständler. "Haste was, dann kriegste was!" Ideen und Kreativität werden von den Banken immer noch unterbewertet. Denken Sie einmal daran, wieviel Innovation man mit den Milliarden Verlusten von Co-op, Neue Heimat oder Metallgesellschaft realisieren könnte - komischerweise hat hierbei keiner der Arbeitgebervorstände laut aufgeschrien.

Also auch Banken könnten mitforschen, mit wirklichem Risiko, gerade jetzt in den Jahren höchster Gewinne und phantastischer Rückstellungen für die noch schlechteren Zeiten, die noch kommen sollen. Vielleicht besteht auch eine Chance für Versicherer innovativ zu sein und F&E-Versicherungen für Klein- und mittelständische Unternehmen anzubieten, die letztere den Banken präsentieren können.

Zurück zu den genialen Ideen. Wenn man schon zwischen 2 und 10% seines Umsatzes - und das muß man heute, wenn man schnell neue, moderne Produkte machen will - für Spitzentechnologie ausgeben kann oder muß, so wird ganz leicht klar, wo die Grenzen der kleinen Unternehmen zu suchen sind. Selbst im Verbund mit den vorfinanzierten Universitäten und Großforschungseinrichtungen gilt dies, weil die Kosten einfach davonlaufen. Pharmazie, Gen-Technik, Computer-, Luft- und Raumfahrttechnik, Kraftwerkstechnik, Fernmeldetechnik usw. können nur in Ausnahmefällen Tummelplatz oder Nebenschauplatz der Kleinen sein, obwohl es dort interessante Aufgaben gäbe, aber es fehlt die nötige Kapitaldecke.

Besser gelingen diese Innovationen bei den Mittelstandsdomänen Maschinenbau und Teilen der Elektroindustrie, vereinzelt auch im Werkstoffbereich, in der Sensorik, usw.. Aber sowohl bei den Großunternehmen als auch bei den Mittelständlern ist der Fortschritt in den letzten Jahren fast zum Stillstand oder zumindest zum Stottern gekommen.

Wollen wir nun gar in Deutschland nur zu innovativen Dienstleistern werden? Sicher läßt sich aber vom Mengengerüst begründet sagen, wenn die Langzeitgesetzgebung und die flankierenden Maßnahmen der Verwaltung sowie die steuerlichen Rahmenbedingungen für im Kleinunternehmen oder auch im Großunternehmen verbleibende Gewinne stimmen, werden Mittelständler zur breiten Innovationsoffensive mit anwendungsorientierten Werkstoffen, Verfahren und Produkten den ins Stottern geratenen Motor wieder auf Touren bringen - auf breiter Front!

Wenn das Schwungmoment der Masse von Klein- und mittelständischen Unternehmen stimmt, die ja sehr viel mehr sind als die großen, kann man sehr viel leichter auswählen, ob man die Technologieschlachtschifflotte Deutschland zur Aufholjagd gegen Japan oder USA oder in wichtigen Fällen sogar zur Überholstrategie einsetzen will - darauf sollen sich die Großen konzentrieren.

Nachdem eine solche Flotte aus großen und kleinen Schiffen besteht, ist es wichtig, vor allem bei den Kleinen Schwerpunktaktionen zu steuern - ich gebe zu, daß dies wegen eigenwilliger Unternehmerpersönlichkeiten nicht immer einfach ist. Schlimm wird es aber erst dann, wenn man feststellt, daß neben dem BMFT knapp 20 weitere Bundesbehörden Forschungsmittel verteilen und die Kompetenz und der Weitblick dort oft fehlen. Ob das alles zum Erfolgserlebnis führt und die geistigen Kreativitätsqualitäten unserer Mitarbeiter zu vollem Einsatz bringt, muß selbst bei den sonst so flexiblen und schlitzohrigen kleinen und mittelständischen Unternehmen angezweifelt werden.

6. Übertriebener Umweltschutz und dessen Folgen

Fassen wir zusammen, so sehen wir klar, wo wir schon ein Stück des Weges vorangekommen sind, z.B. bei den Umweltschutztechnologien. Aber machen wir uns nicht gerade durch das noch höher, noch schneller selbst Probleme - gerade in kleinen Unternehmen durch immer höhere Kostenbelastungen und den daraus resultierenden Standortnachteilen. Vor allem auf dem flachen Land, wo bei Technologieunternehmen höhere Fertigungstiefen notwendig sind, müssen Technologien ins Haus geholt werden, die sonst aus Umweltgründen an anderen Plätzen zentral gemacht würden. Beispiel dafür sind diese ewig andauernden und immer uferloser werdenden Umweltschutzdiskussionen in PPM´s. Mit Prozenten hat es angefangen, mit Promille ist es weitergegangen. Mittlerweile suchen wir schon nach PPB´s in der Analysentechnik, da diese immer besser wird und damit auch unsere Umweltschutzgesetze immer besser werden. Mit den Kosten für Milligramms könnten in den neuen Bundesländern oder bei unseren Nachbarn, Tonnen an Umweltschäden beseitigt werden, aber wir suchen hier oder bei unseren tschechischen Nachbarn, nach Milligamms, was natürlich auch in die F&E-Szene und in die produzierende Industrie kostensteigernd hineinwirkt.

Deutschland hat im Export von Umwelttechnologie zwar eine gute Stellung erreicht, es wurde aber versäumt, diese in anwenderfreundlicher Weise, was Preise, Realisierbarkeit und Bedienbarkeit anbelangt, weiterzuentwickeln. Stattdessen wurde das ganze in immer extremere und kompliziertere Bereiche getrieben, die zwar technisch machbar sind - (deutsche Gesetze) - aber kaum mehr zu bezahlen, geschweige denn zu exportieren sind, deren Einführung in Deutschland aber die Wirtschaft zusätzlich stark belastet. Und das haben wir doch schon gelernt - deutsche Gesetzesvorlagen sind nicht überall in Europa und auf der Welt beliebt.

Zum Beispiel wird in Nürnberg zur Zeit aufgrund der neuen EG-Verordnung für hunderte von Millionen Mark ein neues Zentralklärwerk gebaut, das grob gesagt den Reinigungsgrad von 90+x% auf 97+x% bringt - mit hohen zukünftigen finanziellen Belastungen für Bürger und Unternehmen, während Brüssel, wo das ganze beschlossen wurde, den ganzen Schmutz immer noch ungeklärt in den Fluß leitet, ähnlich wie in Mailand und Turin, wo das BSP pro Einwohner inzwischen höher als in Deutschland liegt. Dies alles gibt mir doch schon sehr zu denken.

Für deutsche Unternehmen heißt das weniger Gewinne. Wer hat hier erfolgreicher geforscht und entwickelt? Weniger Gewinne, weniger Innovation - so einfach ist das, gerade bei kleineren Unternehmen.

Zum Beispiel bei der Solartechnik: Die Zellentechnik beherrschen wir schon ganz gut - auch das Verpacken unter Glas von Solarzellen beherrschen wir - all das wären Mittelstandsdomänen. Sieht man einmal von den Silicium-Solarzellenwirkungsgraden ab, so wird klar, warum wenig passiert, weil einfach in Sendai in Japan, der japanische Halbleiterindustrie-Klüngelclub in seiner Quovadis-Studie für das Jahr 2005 ein 5 Tonnen schweres Silicium-

Einkristall mit 20 Zoll Durchmesser plant und projektiert - und daran wird wirklich gearbeitet. Was macht das ehemals so führende Wacker-Werk in Burghausen?

Russen arbeiten an Silicium-Karbid-Sollarzellen mit besseren, wesentlich besseren Wirkungsgraden, höheren Zellenspannungen und höherer Temperaturstabilität - wo bleibt Siemens oder AEG? Mittelständler können relativ problemlos russische Quellen anzapfen und dort günstig Technologien kaufen - dies ist heute möglich. Das war früher nur großen Firmen vorbehalten. Dies könnte auch helfen, Mittelständler gut und schnell voranzubringen - das größte Problem hierbei besteht jedoch in der Zuverlässigkeit russischer Partner und Hilfen aus Bonn. Aber wer ist bereits in Rußland - die Österreicher und Amerikaner - und zwar nicht nur Unternehmen, sondern hochkarätige Ministerien (Pentagon) unter dem Deckmantel von Universitäten (State University of Arizona).

7. Fazit

Beide Beispiele zeigen, daß wir schneller und anwendungsorientierter Arbeitsteilung in F&E und Informationstechnik betreiben müssen. Das heißt Eliten, auch bis in die Kleinbetriebe hinein, fördern, und nicht nur einzelne Vorzeigephänomene. Und das, wie vorher schon gesagt, geht nur über eine gesellschaftspolitische Technologieaufwertung. Künstliche Bremsen legen wir z.B. auch besonders innovativen kleineren Unternehmen ohne internationale Verflechtung an, indem wir durch Exportbeschränkungen bestimmter Güter den Absatz verbieten. Die Amerikaner, Engländer oder Franzosen liefern dies dann schon - hat die Geschichte wirklich so viel Einfluß?.

Ein weiteres Beispiel:

Wir bauen Hochtemperaturöfen für die Werkstofforschung. Wir müssen dafür Exportgenehmigungen in Eschborn einholen, da in diesen Öfen auch militärische Tests unternommen werden können

- unsere EG-Wettbewerber haben dann schon geliefert. Oder nehmen Sie die Firma Netzsch aus Selb, die Keramiktechnologie macht. Natürlich können Sie die thermischen Meßgeräte, die diese Firma herstellt, auch in der Nuklearindustrie für Rüstungszwecke verwenden - aber ob wir uns damit nicht langsam lächerlich machen und die Innovationen in unserem Land bremsen, mag ich gar nicht ansprechen oder diskutieren.

Aufträge in beträchtlicher Höhe, gerade bei Ausschreibungen, gehen verloren, weil Eschborn mindestens 6 Wochen, in der Regel jedoch mehrere Monate benötigt, um nachzudenken - die anderen, unsere Wettbewerber aus der EG, haben dann schon längst geliefert.

Technologiemärkte, gerade für innovative Klein- und Mittelständler bröckeln langsam, aber sicher ab, weil man uns gar nicht mehr fragt, weil die Anfragen aus dem Ausland gar nicht mehr kommen - können wir alle uns das leisten, können wir uns das leisten, nicht einmal mehr die Anfragen zu bekommen? Ich glaube nicht.

Das geht bei den Ausschreibungen in Englisch und Französisch weiter und setzt sich bis zur Auftragsvergabe, die z.B. von Frankreich, Portugal und Italien von politischer Seite her massiv durch öffentliche Aufträge - im F&E-Bereich meine ich natürlich damit - beeinflußt sind, während die deutsche Politik nur auf Korrektheit bedacht, sich zumindest was KMU's betrifft, aus allem heraushält - Siemens, AEG, Krupp oder Thyssen haben natürlich eine andere Lobby wie die Firma Linn High Therm. Dies hat zur Folge, daß zwar Deutschland Zahlmeister in vielen europäischen und internationalen Forschungseinrichtungen ist, die heimische Industrie aber bei der Vergabe von Aufträgen für wissenschaftliche Geräte, Forschungseinrichtungen und High-Tech-Entwicklungen leer ausgeht. Wo bleibt die Gleichbehandlung wenigstens innerhalb der EG, die ja auch stärker auf unser Forschungsverhalten einwirken soll oder will?!

Noch ein Wort zu den neuen Bundesländern. Von den, nach der Evaluation der Akademie der Wissenschaften der ehemaligen DDR durch einen vom Bund einberufenen Wissenschaftsrat, als "positiv und weiterzuführend" beurteilten Forschungseinrichtungen, sind ca. 40% des in diesen Forschungseinrichtungen etablierten Wissenschaftlerpotentials und nur ca. 30% des wissenschaftlich-technischen Potentials in bestehende Forschungseinrichtungen des Bundes übernommen worden. Der restliche Teil dieses Potentials konnte zu ca. 80% über ABM-Projekte oder über vom BMFT und der DFG finanzierte zeitlich begrenzte Projekte gebunden werden.

Diese Fördermaßnahmen kommen jedoch immer weniger zum Tragen, da in Kürze viele Forschungsprojekte in Folge drastischer Mittelkürzungen auslaufen und nur wenige verlängert bzw. neue Projekte genehmigt werden. Das heißt, das ganze Forschungspotential - und es war gutes Potential - geht aus meiner Sicht somit der "Forschungslandschaft Ost- und Gesamtdeutschland" leider verloren. Dieses nicht zu unterschätzende Potential sollte schwerpunktmäßig unter Kosten- und Genossenkontrolle erhalten bleiben und gefördert werden, auch wenn die Kassen nahezu leer sind.

Die Mittel dazu sollten verstärkt von der Großindustrie, ein wenig vom Mittelstand und mehr von den Banken erbracht werden. Alle könnten doch etwas leisten, auch in schweren Zeiten; Lasten müssen eben richtig umverteilt werden. Denn ohne Investitionen in Forschung, wie auch immer geartet, wird es kurz- und mittelfristig keine international konkurrenzfähigen und damit für die Industrie der neuen Bundesländer gewinnbringenden Produkte geben.

Wir sollten also ohne Zögern die Randbedingungen und Trends ändern. Apropos Trends - wir sollten schon gelegentlich auch auf Trendforscher hören, F&E von groß bis klein braucht schon ihre "Vorspinner", auch hier hätten es, wenn der Rest stimmt, die kleinen Forscher leichter, da sie meist eben flexibler und praxisnäher sind.

Der große Trend der Großen, Helfer für die Kleinen zu sein, sollte aber eben auch mehr Markt und Wettbewerb an den Hochschulen bedeuten - es hat noch keinem Hochschulmann geschadet, die Ärmel hochzukrempeln und für das, was man kreiert hat, von der Realisierungsphase bis zum Verkauf der Gemeinschaftsidee eines marktfähigen Produktes bei der Stange zu bleiben. Viele Herren der Hochschulen scheuen sich davor, diese Schritte mitzugehen.

Wenn Roland Berger sagt, wir können 6 Millionen neue Arbeitsplätze durch innovativere Industrien und Produkte schaffen, hat er wahrscheinlich recht - nur mit Reden alleine ist es nicht getan, und daß wir immer mehr Reden als Handeln wird gefährlich für unsere Forschung. Dann forscht eben keiner mehr am besten, sondern nur noch stur nach Plan und Zahlenvorgaben.

Bei der Bundesrepublik Deutschland handelt es sich um

- ein Land, das High-Tech-Labors, die für unsere Nachrichtendienste arbeiten, an ausländische Investoren verkauft,
- ein Land, in dem im negativen Sinne die Worte Atom, Biotechnologie und Chemie bekannter sind als die 10 Gebote,
- ein Land, in dem ein Großteil der Studenten mehr an Bafög, denn an Spitzenleistungen denkt, oder in dem ein Teil der Studenten älter ist als die jüngsten Rentner,
- ein Land, in dem Professoren technische Spitzenleistungen lehren sollen, ohne regelmäßig selbst immer wieder vor Ort praxisorientiert in der Industrie zu arbeiten,
- ein Land, in dem Professoren Frust befällt, wenn die Doktoranden besser und flexibler als sie selbst sind,
- ein Land, das in wirtschaftlich harten Zeiten an Rente, Rast und Ruhe denkt - ist seiner Forscher nicht mehr wert oder nicht mehr sicher.

Diskussion des Referates *Linn*

(1) Die Notwendigkeit, die Zusammenarbeit zwischen Universitäten und Unternehmen zu verbessern, betont Herr Linn nochmals mit einem Verweis auf die fehlende bzw. zu geringe Nachbetreuung von Diplom- und Doktorarbeiten, wobei er sich speziell auf die technischen Bereiche, z.B. Kristallzucht, bezieht. Durch eine solche Intensivierung der Kooperation könnten auch die Chancen gesteigert werden, entwickelte Produkte im Ausland abzusetzen.

(2) Eine Ursache des Problems, daß die Banken nicht genügend Risikokapital bereitstellen würden, sei auch darin zu sehen, daß die Unternehmen - zumindest teilweise - über zu wenig ausgearbeitete Vertriebs- und Marketing-Konzepte verfügen. Es sei notwendig, daß ein effizient hergestelltes Produkt auch effizient an den Abnehmer gebracht würde, woran es in der Praxis häufig mangele.

(3) Zur Kritik von Herrn Linn an dem bei der Forschungsförderung verfolgten Gießkannenprinzip wird gefragt, nach welchen Indikatoren die Forschungsgelder verteilt werden sollen. Herr Linn untermauert seine Bedenken hinsichtlich einer "Verzettelung" der Forschungsförderung, sofern Projekte an mehreren Universitäten gleichzeitig verfolgt würden.

Bei einer Konzentrierung der Mittel auf einen oder wenige Standorte sei eine Verbesserung der Ergebnisse zu erwarten. Durch Strukturkommissionen könne durchaus entschieden werden, welche Bereiche unterstützt werden sollten. Wesentlich sei im übrigen, Forschungsprojekte immer industriebegleitend zu betreiben.

Hochsteuerland Bundesrepublik Deutschland nach dem Standortsicherungsgesetz

Dieter Schneider

Problemstellung:

Die Behauptung vom Hochsteuerland Bundesrepublik Deutschland wird in der öffentlichen Diskussion der letzten 7 Jahre hauptsächlich auf Steuerbelastungszahlen für zurückbehaltene Gewinne bei Kapitalgesellschaften gestützt. Dabei werden eine ab 1990 bis 1993 als repräsentativ behauptete Gewinn- und Substanzsteuerbelastung von rund 66% gern übervereinfacht den wesentlich niedrigeren Steuerbelastungen konkurrierender Industrieländer gegenübergestellt. Diese liegen für Großbritannien, Frankreich, Niederlande, Österreich, Spanien zwischen 30 und 35%, für Japan bei rund 45% oder den USA 35%, wegen der unterschiedlichen Zuschläge in den einzelnen Bundesstaaten und Gemeinden sind es jedoch im Durchschnitt 39,4%.

Steuerbelastungsvergleiche, die sich allein auf Steuersätze stützen und Unterschiede in den Steuerbemessungsgrundlagen für Investition und Finanzierung in einem Land und zwischen verschiedenen Ländern ausklammern, heißen nominale oder *rechtliche Steuerbelastungsvergleiche*. Steuerbelastungsvergleiche, die sich bemühen, neben Steuersätzen die Unterschiede in den Bemessungsgrundlagen für Investition und Finanzierung in einem Land oder zwischen verschiedenen Ländern zu berücksichtigen, zielen demgegenüber auf eine *wirtschaftliche Steuerbelastung*. So werden z.B. Gewinnsteuerzahlungen unter Beachtung von Anlagenabschreibungen, Rückstellungsbildung, Vorratsbewertung usw. berechnet und den Zahlungsströmen einer Investition (vor diesen Steuerzahlungen) gegenübergestellt. Verglichen werden dann z.B. die Rendite einer Investition vor Steuern mit der Rendite dieser Investition nach Steuern. Die Differenz, ein Steuerkeil, wird auf die Vorsteuerrendite als einer betriebswirtschaftlichen Zielgröße bezogen und mißt als Prozentsatz eine wirtschaftliche Steuerbelastung.

Mein Vortrag untersucht für Beispielsfälle der rechtlichen und der wirtschaftlichen Steuerbelastung die Behauptung vom Hochsteuerland Bundesrepublik Deutschland für 1993 als einem Zeitraum vor dem Wirksamwerden des Standortsicherungsgesetzes, für 1994 als dem ersten Jahr der Anwendung des Standortsicherungsgesetzes und für 1995 (soweit das Steuerrecht hierfür derzeit bekannt ist). Ab 1995 wird ein Solidaritätszuschlag von 7,5% auf die Einkommen- und Körperschaftsteuerschuld erhoben und der Vermögensteuersatz für Privatvermögen (außer Aktien und Gesellschaftsanteilen) von einem halben auf ein Prozent erhöht: beides Regelungen im Föderalen Konsolidierungsprogramm, das vor dem Standortsicherungsgesetz verabschiedet wurde. Mein Vortrag beabsichtigt, zu prüfen, ob die Ziele des Standortsicherungsgesetzes erreicht oder verfehlt werden. Als Ziele des Standortsicherungsgesetzes nennt die Gesetzesbegründung:

- "das gesamtwirtschaftliche Wachstum durch Stärkung der Investitionstätigkeit zu fördern,
- die internationale Wettbewerbsfähigkeit durch Anregung der Innovationskraft und der unternehmerischen Risikobereitschaft zu erhalten und
- die Attraktivität Deutschlands als Wirtschaftsstandort für ausländische Unternehmen zu sichern".

Im ersten Teil werden Beispiele zur rechtlichen, Regelungen über Steuerbemessungsgrundlagen ausklammernden, Steuerbelastung deutscher Unternehmungen und ihrer Geldgeber betrachtet und im zweiten Teil Beispiele zur wirtschaftlichen Steuerbelastung, die Unterschiede in den Steuerbemessungsgrundlagen berücksichtigt. Der dritte Teil zieht aus den Ergebnissen Folgerungen zur Steuerpolitik. Eine Dreiviertelstunde Vortragszeit zwingt zu radikalen

Vereinfachungen; deshalb werde ich alle mit Auslandsbeziehungen zusammenhängenden Fragen weglassen. Zu einer ausführlichen Darstellung mit Quellen sei verwiesen auf den Aufsatz "Hochsteuerland Deutschland 1994/95" in "Der Betrieb", 18. März 1994.

I. Rechtliche Steuerbelastung der Unternehmungsgewinne 1993 bis 1995

a) Zurückbehaltene Gewinne bei Kapitalgesellschaften im Altbundesgebiet

Die Änderung der Steuerzahlungen einer Kapitalgesellschaft in den alten Bundesländern, die zusätzliche Gewinne erzielt und zurückbehält, läßt sich als rechtliche Grenzsteuerbelastung beispielhaft in Tabelle 1 ersehen.

Um Körperschaftsteuer, Gewerbeertrag-, Gewerbekapital- sowie Vermögensteuer gemeinsam zu erfassen, wird ein Gewinn vor diesen Steuern von 100 angenommen. Um die Vermögen- und Gewerbekapitalsteuer einbeziehen zu können, muß zunächst ein Verhältnis von Gewinn zur Bemessungsgrundlage der betrieblichen Vermögensteuer, dem Einheitswert des Betriebsvermögens, vorausgesetzt werden. Bequem ist die Unterstellung einer Rendite von 10%, wobei bei 100 vorausgesetztem Gewinn die 1.000 Kapitaleinsatz zugleich den Einheitswert des Betriebsvermögens verkörpern sollen. Für die Gewerbekapitalsteuer gelte zur Vereinfachung, daß deren Bemessungsgrundlage "Gewerbekapital" dem Einheitswert des Betriebsvermögens entspreche, also Hinzurechnungen und Kürzungen sich ausgleichen. Der Hebesatz der Gewerbesteuer wird im folgenden dem durchschnittlichen Hebesatz für kreisfreie Städte von 400% (1991) gleichgesetzt. Multipliziert mit der Steuermeßzahl für das Gewerbekapital von 0,2% folgt als Gewerbekapitalsteuer 8. 100 Gewinn und 1.000 Kapitaleinsatz werden als Folge zusätzlicher Investition betrachtet, so daß Freibeträge bei der Vermögen- und Gewerbekapitalsteuer außer Acht bleiben können.

Für die Gewerbeertragsteuer errechnet sich bei 5% Steuermeßzahl und 400% Hebesatz ein Teilfaktor von 20, der zu (100+20) ins Verhältnis gesetzt werden muß, weil die Gewerbeertragsteuerschuld ihre eigene Steuerbemessungsgrundlage "Gewerbeertrag" mindert. Zur Vereinfachung dient die Annahme, daß der Gewerbeertrag dem körperschaftsteuerpflichtigen Einkommen vor Abzug der Gewerbeertragsteuer gleicht, sich wiederum also gewerbesteuerliche Hinzurechnungen und Kürzungen ausgleichen. Gewerbeertragsteuer wird auf den Gewinn von 100 abzüglich der Gewerbekapitalsteuer von 8 erhoben, also auf 92, was 15,33 ergibt.

Damit beträgt das körperschaftsteuerpflichtige Einkommen 100 - 8 - 15,33 = 76,67. Hiervon wird die Tarifbelastung der Körperschaftsteuer abgezogen, die durch das Standortsicherungsgesetz von 50% auf 45% ab 1994 gesenkt wird.

Zur Berechnung der Vermögensteuer werden vom Einheitswert des Betriebsvermögens nur 75% veranschlagt und mit dem Vermögensteuersatz für Kapitalgesellschaften von 0,6% multipliziert, so daß an Vermögensteuerzahlung 4,50 anzusetzen sind.

Die Spalte "1993" belegt die eingangs erwähnte "66%-"Belastung. In der Spalte für "1994" zeigt sich, daß die Senkung der körperschaftsteuerlichen Tarifbelastung durch das Standortsicherungsgesetz von 50% auf 45% zu einer Minderung der rechtlichen Steuerbelastung um 3,84 Prozentpunkte führt. Gegenüber konkurrierenden Industrienationen bleibt eine steuerliche Mehrbelastung, die durchweg über ein Drittel des Selbstfinanzierungsbetrages in Deutschland ausmacht. Von einer "Stärkung der Investitionstätigkeit" oder Erhaltung der internationalen Wettbewerbsfähigkeit kann schon bei der für 1994 erfolgenden Senkung der körperschaftsteuerlichen Tarifbelastung kaum die Rede sein.

Tabelle 1:
Rechtliche Grenzsteuerbelastung einer Kapitalgesellschaft in den alten Bundesländern für zurückbehaltene Gewinne

	1993	1994	1995
Gewinn vor Körperschaft-, Gewerbe- und Vermögensteuer	100,00	100,00	100,00
Gewerbekapitalsteuer: 0,2% des Gewerbekapitals (=1000 gesetzt) x 400% Hebesatz	8,00	8,00	8,00
Gewerbeertragsteuer 20:120 auf den Gewinn abzüglich Gewerbekapitalsteuer (=92)	15,33	15,33	15,33
körperschaftsteuerliches Einkommen	76,67	76,67	76,67
Tarifbelastung mit Körperschaftsteuer:	50%= 38,34	45%= 34,50	34,50
Vermögensteuer: Einheitswert des Betriebsvermögens (gleich 1000 gesetzt), hiervon 75%, mal 0,6% Vermögensteuer	4,50	4,50	4,50
Solidaritätszuschlag 7,5 % auf 34,50			2,59
Selbstfinanzierungsbetrag	33,83	37,67	35,08
rechtliche Steuerbelastung	66,17	62,33	64,92

Für unternehmerische Planungen ausschlaggebend ist, daß die Erhöhung der Selbstfinanzierung um 3,84 Prozentpunkte ab 1995 durch den zeitlich nicht befristeten Solidaritätszuschlag auf 66,17 - 64,92 = 1,25 Prozentpunkte zurückgenommen wird.

Die Berechnung der rechtlichen Steuerbelastung in Tabelle 1 bietet nur ein Musterbeispiel für den Fall, daß zusätzliche Gewinne aus Investitionen zurückbehalten werden. So wird neben der eher willkürlichen Renditeannahme nicht beachtet, daß die versteuerten und zurückbehaltenen Gewinne die Marktpreise der Unternehmungsanteile verändern. Zudem wird vernachlässigt, daß zurückbehaltene Gewinne zugleich ein Parken für künftige Ausschüttungen bedeuten. Die Anrechenbarkeit der Körperschaftsteuer für inländische Anteilseigner bleibt unbeachtet.

b) Ausgeschüttete Gewinne an anrechnungsfähige Inländer

Das Standortsicherungsgesetz senkt die Ausschüttungsbelastung für Kapitalgesellschaften von 36% auf 30%. Bei unverändertem Dividendensatz führt dies bei Anteilseignern, auf deren Einkünfte aus Kapitalvermögen die Ausschüttungsbelastung der Körperschaftsteuer angerechnet wird, zu einer Minderung der Körperschaftsteuergutschrift von 36/64 auf 30/70. Dadurch verringern sich je 100 DM Dividende die Einkünfte aus Kapitalvermögen für anrechnungsfähige Anteilseigner von 100 mal 100/64 = 156,25 DM auf 100 mal 100/70 = 142,86 DM, d.h. um 8,6%. Innerhalb der Unternehmung entsteht allerdings ein Zinsplus durch Minderung der Körperschaftsteuervorauszahlungen.

Das Management einer Kapitalgesellschaft, das im Interesse seiner inländischen Anteilseigner handelt, welche die Ausschüttungsbelastung der Körperschaftsteuer auf ihre Einkommensteuerschuld anrechnen können, wird zu ermitteln suchen, welchen Keil die Besteuerung zwischen die Rendite von Investitionen vor Steuern in der Unternehmung und die Nachsteuerrendite, wie sie bei ihren Anteilseignern eintritt, treibt. Die Berechnung dieses rechtlichen Kapitalmarktsteuerkeils erfolgt in zwei Schritten. Im ersten Schritt wird innerhalb der Kapitalgesellschaft die rechtliche Steuerbelastung für den Fall der Ausschüttung ermittelt. Im zweiten Schritt wird der zusätzliche Steuerkeil durch die persönliche Einkommen- und Kirchensteuerbelastung der Anteilseigner zu berücksichtigen gesucht.

1. Die rechtliche Steuerbelastung einer Kapitalgesellschaft in den alten Bundesländern für den Fall der Ausschüttung erläutert die Tabelle 2:

Tabelle 2:
Rechtliche Grenzsteuerbelastung einer Kapitalgesellschaft in den alten Bundesländern bei Vollausschüttung

	1993	1994	1995
Gewinn vor Körperschaft-, Gewerbe- und Vermögensteuer	100,00	100,00	100,00
Gewerbekapitalsteuer: 0,2% des Gewerbekapitals (=1000 gesetzt) x 400% Hebesatz	8,00	8,00	8,00
Gewerbeertragsteuer 20:120 auf den Gewinn abzüglich Gewerbekapitalsteuer (=92)	15,33	15,33	15,33
körperschaftsteuerliches Einkommen	76,67	76,67	76,67
Tarifbelastung mit Körperschaftsteuer:	50%= 38,34	45%= 34,50	34,50
Vermögensteuer: Einheitswert des Betriebsvermögens (gleich 1000 gesetzt), hiervon 75%, mal 0,6% Vermögensteuer	4,50	4,50	4,50
Zugang an tarifbelastetem Eigenkapital vor Solidaritätszuschlag	33,83	37,67	37,67
Solidaritätszuschlag bei Vollausschüttung: x = 0,075 [34,50 - 15/55 (37,67 - x)]			1,85
zur Ausschüttung verwendbares Eigenkapital	33,83	37,67	35,82
Ausschüttungsentlastung	14/50= +9,47	15/55= +10,27	+9,77
Ausschüttung	43,30	47,94	45,59

rechtliche Steuerbelastung	56,70	52,06	54,41
Körperschaftsteuer-Anrechnung	36/64= 24,36	30/70= 20,55	19,54

Tabelle 2 entspricht bis zur Zeile "Zugang an tarifbelastetem Eigenkapital vor Solidaritätszuschlag" der Tabelle 1. Die Höhe des Solidaritätszuschlags bei Vollausschüttung ist zunächst unbekannt, weil sie sich als 7,5% auf die festzusetzende Körperschaftsteuer berechnet. Die festzusetzende Körperschaftsteuer bestimmt sich aus der Tarifbelastung (hier 34,50) abzüglich der Ausschüttungsentlastung. Diese folgt aus 45% - 30% = 15%, bezogen auf 100% - 45% = 55%, also 15/55, vom tatsächlich für Ausschüttungen verwendeten tarifbelastetem Eigenkapital (EK_{45}). Tatsächlich für Ausschüttungen verwendet werden kann aber nur die Differenz: Zugang an tarifbelastetem Eigenkapital vor Solidaritätszuschlag (hier 37,67) abzüglich Solidaritätszuschlag x. Damit lautet die Bestimmungsgleichung für den Solidaritätszuschlag x:

$x = 0{,}075\ [34{,}50 - 15/55\ (37{,}67 - x)]$, woraus $x = 1{,}85$ folgt.

Das zur Ausschüttung verwendbare Eigenkapital ist um die Ausschüttungsentlastung von 14/50 (1993) bzw. 15/55 (ab 1994) zu erhöhen, um den Betrag der Vollausschüttung festzulegen.

Will die Kapitalgesellschaft die Senkung der Ausschüttungsbelastung an die Anteilseigner weitergeben, hätte sie bei unveränderter Ertragslage 1994 den Dividendensatz gegenüber 1993 im Verhältnis 47,94 : 43,30, also um 10,7%, zu erhöhen, jedoch ab 1995 die erhöhte Dividende wegen des Solidaritätszuschlags im Verhältnis 45,59 : 47,94 also um 4,9%, zu kürzen. Im Vergleich zu 1993 bliebe ab 1995 unter sonst gleichen Umständen eine Dividendensatzerhöhung im Verhältnis 45,59 : 43,30, also um rund 5,3%.

Ein besonderer Ausschüttungseffekt tritt 1994 dann ein, wenn eine Kapitalgesellschaft noch für Ausschüttungen verwendbares Eigenkapital besitzt, das vor 1990 angesammelt wurde und mit 56% vorbelastet ist. Wird dieses EK_{56} 1994 als offene Gewinnausschüttung für 1993 oder frühere Wirtschaftsjahre verwendet, gilt bereits die niedrigere Ausschüttungsbelastung von 30%, und es folgt eine Körperschaftsteuerminderung von 26 Prozentpunkten. Dies erlaubt einmalig und zu Lasten des Fiskus eine kräftige Erhöhung der Einkünfte aus Kapitalvermögen für die Anteilseigner. Diese könnte über eine Schütt-aus-Hol-zurück-Politik ohne entscheidende Schwächung der Eigenkapitalausstattung der Kapitalgesellschaft genutzt werden. Wird das EK_{56}-Konto bis zum Schluß des Wirtschaftsjahres 1994 nicht geleert, ist es in EK_{45} und EK_{02} umzugliedern (§ 54 Abs. 11 KStG). Dies hat zur Folge, daß die Körperschaftsteuerminderung nurmehr 45% - 30% = 15% beträgt. Das Mißbrauchsbekämpfungs- und Steuerbereinigungsgesetz sieht ab 1995 als Erleichterung vor, das EK_{56}-Konto 1995 in EK_{50} und EK_{02} umzugliedern.

Dieser besondere Ausschüttungseffekt ist bedeutsam vor allem für nicht anrechnungsfähige Anteilseigner, also für beschränkt Steuerpflichtige und für gemeinnützige Institutionen, weil für beide die Ausschüttungsbelastung zur definitiven rechtlichen Steuerbelastung wird. Sie können bei Ausschüttung allen EK_{56} (und eventueller Wiedereinlage über eine Kapitalerhöhung) zu Lasten des deutschen Fiskus Milliarden einheimsen aus Steuerzahlungen früherer Jahre (ab 1977), während für anrechnungsberechtigte Anteilseigner ein erheblicher Teil ihrer 26-Prozentpunkte-Körperschaftsteuer-Rückforderung vom Fiskus über eine erhöhte Einkommensteuer wieder an diesen zurückfließen wird. In der Gesetzesbegründung wird auf die möglicherweise in die Milliarden gehende Körperschaftsteuer-Rückforderung nicht eingegangen. Falls sie bei der angespannten Haushaltslage beabsichtigt wurde, ist hier ein neues Beispiel für gesetzgeberische Leichtfertigkeit, falls sie übersehen wurde, ein neues Beispiel für gesetzgeberische Schlamperei in der Steuerpolitik gegeben. Warum wurde nicht der ermäßigte Ausschüttungssatz auf Ausschüttungen aus EK_{45} begrenzt? Ob die Senkung der Ausschüttungsbelastung im Hinblick auf eine Standortsicherung überhaupt sinnvoll war, läßt sich stark bezweifeln; denn ohne vollständige Weitergabe der Körperschaftsteuersenkung erhalten anrechnungsfähige Anteilseigner geringere Einkünfte aus Kapitalvermögen.

2. Im zweiten Schritt zur Berechnung des rechtlichen Kapitalmarktsteuerkeils ist die Nachsteuerrendite abzuschätzen, wie sie ein anrechnungsfähiger Anteilseigner erzielt. Dabei ist aus der Ausschüttung (als Ergebnis der Tabelle 2) auf die versteuerten zusätzlichen Einkünfte aus Kapitalvermögen zu schließen, in der Tabelle für die Spitzenbelastung.

Tabelle 3:
Rechtliche Grenzsteuerbelastung eines spitzenbelasteten Körperschaftsteuer-anrechnenden Anteilseigners

	1993	1994	1995
Ausschüttung	43,30	47,94	45,59
Kapitalertragsteuer 25%	10,83	11,99	11,40
Solidaritätszuschlag 7,5% auf die Kapitalertragsteuer			0,85
Barausschüttung	32,47	35,95	33,34
Körperschaftsteuer-Anrechnung	24,36	20,55	19,54
Kapitalertragsteuer-Anrechnung	10,83	11,99	11,40
anzurechnender Solidaritätszuschlag auf die Kapitalertragsteuer			0,85
zu versteuernde Einkünfte aus Kapitalvermögen	67,66	68,49	65,13
Einkommensteuer 53%	35,86	36,30	34,52

Zusatzbelastung durch Kirchensteuer (Fn. 7)	1,45	1,47	1,39
Solidaritätszuschlag 7,5% auf (53% x 65,13 - 19,54)			1,12
versteuerter Zufluß vor persönlicher Vermögensteuer	30,35	30,72	28,10
rechtliche Steuerbelastung vor persönlicher Vermögensteuer	69,65	69,28	71,90

Der Solidaritätszuschlag auf die Kapitalertragsteuer wird wie diese bei der Einkommensteuer angerechnet. Bei der Einkommensteuer bemißt sich der Solidaritätszuschlag nach der festzusetzenden Einkommensteuer, vermindert um die anzurechnende Körperschaftsteuer, wenn ein positiver Betrag verbleibt (§ 3 Abs. 1 Zi. 1 SolZG).

Dem einzelnen Aktionär oder GmbH-Gesellschafter fließen 1995 beim Spitzensatz von ursprünglich 100 vor der persönlichen Vermögensteuer 28,10 zu, bei niedrigeren Grenzeinkommensteuersätzen entsprechend mehr.

c) Ausschüttungen im Ausland erzielter Gewinne

Gewinne, die deutsche Unternehmungen bei Tochterunternehmungen in einem ausländischen Staat erzielen, werden von der deutschen Muttergesellschaft im Inland steuerfrei vereinnahmt, wenn zwischen dem ausländischen Staat und der Bundesrepublik Deutschland ein Doppelbesteuerungsabkommen besteht. Die von Auslandstöchtern zugeflossenen Dividenden wandern in das für Ausschüttungen verwendbare Eigenkapital EK_{01} und lösen bei Ausschüttung daraus 1993 36% Ausschüttungsbelastung aus. Da die Dividenden von Auslandstöchtern im Ausland der Körperschaftsteuer unterlegen haben und in Deutschland zur Herstellung einer auf die Einkommensteuer anrechenbaren Körperschaftsteuergutschrift die Ausschüttungsbelastung zusätzlich erhoben wird, spricht man von einer "Doppelbelastung".

Die "Europatauglichkeit" des deutschen Körperschaftsteuersystems will das Standortsicherungsgesetz neben anderen Vergünstigungen dadurch verbessern, daß bei Ausschüttung dieser Beträge an andere Kapitalgesellschaften keine Ausschüttungsbelastung mehr anfällt (§ 8b KStG), d.h. der Selbstfinanzierungsbetrag wird durch Ausschüttung von einer inländischen Kapitalgesellschaft an eine andere nicht verringert.

Fließen Auslandsdividenden von einer deutschen Kapitalgesellschaft nicht an eine andere inländische Kapitalgesellschaft, ist bei diesen Anteilseignern eine Anrechnung von ausländischer Körperschaftsteuer nicht möglich (§ 36 Abs. 2 Nr. 3a EStG). Eine natürliche Person als Anteilseigner erhält somit die bei einer Kapitalgesellschaft aus EK_{01} ausgeschütteten Beträge ohne Körperschaftsteuergutschrift und hat diese als Einkünfte aus Kapitalvermögen zu versteuern. Der ursprüngliche Entwurf des Standortsicherungsgesetzes sah vor, daß Einkünfte, die im Ausland einer Körperschaftsteuer von 30% oder mehr unterlegen haben, im Inland als mit der Ausschüttungsbelastung von 30% versehen betrachtet werden sollten. Würden solche im Ausland verdienten Gewinne an anrechnungsfähige Personen ausgeschüttet, wäre für diese Anteilseigner eine Körperschaftsteuergutschrift von 30/70 der Ausschüttung entstanden. Eine solche "durchgereichte Anrechnung ausländischer Steuern" fordern die Spitzenverbände der Wirtschaft.

Ob hier eine Doppelbelastung vorliegt, läßt sich bezweifeln. Die Herstellung der Ausschüttungsbelastung für EK_{01} hat schließlich nur den Zweck, daß der deutsche Fiskus die auf die Einkommensteuerschuld anrechenbare Körperschaftsteuer tatsächlich auch empfängt. Die von den Wirtschaftsverbänden verlangte Anrechnung im Ausland gezahlter Körperschaftsteuer bedeutet, daß der deutsche Fiskus die Abwanderung in ausländische Standorte in Höhe von 30/70 Ausschüttungsbelastung prämiert. Wie ein solches

Vorgehen mit der Absicht vereinbar sein soll, die steuerlichen Bedingungen für Investitionen und Arbeitsplätze in der Bundesrepublik Deutschland zu verbessern, bleibt das Geheimnis derjenigen, die in Verbänden und Ministerien diesen Vorschlag durchsetzen wollen.

d) Einkünfte aus Gewerbebetrieb

Für Einzelkaufleute und Mitunternehmer begrenzt das Standortsicherungsgesetz die Einkommensteuerprogression bei 47% = 100.278 DM Einkünfte, soweit sie der Gewerbesteuer unterliegen, für den Alleinveranlagten. Die rechtliche Grenzsteuerbelastung aus Gewerbe-, Einkommen- mit Kirchen- und Vermögensteuer errechnet sich in Tabelle 4. Bis zu den Einkünften aus Gewerbebetrieb ergeben sich die schon bekannten Zahlen.

Die Belastungsänderungen für 1994 und ab 1995 sind bei der Rechtsformwahl und bei Vertragsgestaltungen unter Gesellschaftern zu beachten. Während z.B. 1993 für Gesellschafter-Geschäftsführer die GmbH auch im Vergleich zur GmbH & Co. KG im Regelfall die steuerlich günstigste Rechtsform darstellte, weil die Einkünfte der Kommanditisten gegenüber Einkünften aus GmbH-Anteilen zusätzlich der Gewerbesteuer unterlagen, verdient ab 1994 die GmbH & Co. KG wieder stärkeres steuerliches Interesse. Die Einkommensteuerprogression für Einkünfte der Kommanditisten wird bei 47% gestoppt, während Gewinnausschüttungen einer GmbH als Einkünfte aus Kapitalvermögen höheren Grenzsteuersätzen bis zur Spitzenbelastung von 53% ESt unterworfen sein können. Eine Folge hiervon dürfte sein, daß Vertragsgestaltungen gesucht werden, welche die niedrige gewerbesteuerliche Eingangsbelastung aufgrund des Freibetrages und der Staffelung für Personenunternehmungen mit der Verlagerung von Einkünften in den Gewerbebetrieb unter Ausnutzung des Progressionsstopps steuersparend koppeln. Hieraus folgt die einzige arbeitsplatzsichernde

Wirkung des Standortsicherungsgesetzes, nämlich bei steuerberatenden Berufen.

Tabelle 4:
Rechtliche Grenzsteuerbelastung eines Einzelkaufmanns/Mitunternehmers

	1993	1994	1995
Gewinn vor Gewerbe-, Einkommen-, Kirchen- und Vermögensteuer	100,00	100,00	100,00
Gewerbekapitalsteuer: 0,2% des Gewerbekapitals (=1000 gesetzt) x 400% Hebesatz	8,00	8,00	8,00
Gewerbeertragsteuer 20:120 auf Gewinn abzüglich Gewerbekapitalsteuer (=92)	15,33	15,33	15,33
Einkünfte aus Gewerbebetrieb nach Gewerbesteuer	76,67	76,67	76,67
Spitzensatz der Einkommensteuer	53%= 40,64	47%= 36,03	36,03
Vermögensteuer: Einheitswert des Betriebsvermögens (gleich 1000 gesetzt), hiervon 75%, mal 0,5% Vermögensteuer	3,75	3,75	3,75
Solidaritätszuschlag 7,5% auf 36,03			2,70
rechtliche Belastung vor Kirchensteuer	67,72	63,11	65,81
verfügbares Einkommen vor Kirchensteuer	32,28	36,89	34,19
Zusatzbelastung durch Kirchensteuer	2,14% =1,64	2,15% =1,65	1,65
rechtliche Steuerbelastung	69,36	64,76	67,46
verfügbares Einkommen	30,64	35,24	32,54

II. Wirtschaftliche Steuerbelastungen bei Gebäude-, Maschinen- und Vorratsinvestitionen in Abhängigkeit von der Finanzierungsart

a) Änderungen der Steuerbemessungsgrundlagen durch das Standortsicherungsgesetz

Nur wenige der zahlreichen Steuerrechtsänderungen zu den Bemessungsgrundlagen im Standortsicherungsgesetz können als investitionsfördernd angesehen werden. Dazu zählen:

1. Die Befreiung von der Vermögen- und Gewerbekapitalsteuer in den jungen Bundesländern bleibt vorerst bis einschließlich 1995.

2. Die Sonderabschreibung für die jungen Bundesländer und Berlin wird vorerst bis Ende 1996 verlängert, obwohl ihre investitionsfördernde Wirkung bescheiden ist.

3. Verbesserungen der Verlustverrechnung fördern bei Risikoabneigung die Risikobereitschaft zu Investitionen. Vermutlich unbeabsichtigt ist eine Verlustsubventionierung als Folge des Progressionsstops: Während künftige gewerbesteuerpflichtige Gewinne maximal mit 47% Einkommensteuer belegt sind, werden Verluste aus Gewerbebetrieb zunächst mit anderen Einkünften saldiert. Dies hat zur Folge, daß bei hinreichend hohen Einkünften aus anderen Quellen Verluste aus Gewerbebetrieb mit bis zu 53% Einkommensteuer entlasten.

Kaum die Risikobereitschaft fördert die Wahlmöglichkeit, statt des Verlustrücktrags von vornherein den Verlustvortrag zu wählen. Die Wirkung dieser Wahl besteht darin, eine zusätzliche legale Steuerausweichmöglichkeit bei drohenden künftig höheren Steuersätzen zu schaffen, wie sie z.B. durch den Solidaritätszuschlag eintreten. Es lohnt sich, Verluste in 1994 auf 1995 vorzutragen, soweit Gewinne zu erwarten sind und unter Berücksichtigung versteuerter Zinsen die Steuerzahlungen niedriger als bei einem Verlustrücktrag werden.

4. Die Ansparabschreibung für Kleinbetriebe (§ 7g Abs. 3-5 EStG), aber auch für freie Berufe und andere Überschußrechner (§ 7g Abs. 6 EStG), schafft ohne Vorlage von Investitionsplänen einen zusätzlichen und zunächst zinslosen Steuerkredit in Höhe von 50% der geplanten Anschaffungs- oder Herstellungskosten von Investitionen. Damit werden gerade jene sog. mittelständischen Unternehmer zusätzlich subventioniert, die wegen zahlreicher Einzelregelungen des Steuerrechts neben den Land- und Forstwirten zu der steuerlich am stärksten begünstigten Wählerklientel zählen im Gegensatz etwa zu Arbeitnehmern. Hingewiesen sei nur auf die Möglichkeit eines gewillkürten Betriebsvermögens, der Gewerbesteuer-sparenden Arbeitsverträge mit Ehegatten und Kindern, auch wenn diese nur bedingt mitarbeiten, auf Abgrenzungsschwierigkeiten von Lebenshaltungskosten und Betriebsausgaben oder die Vorteile aus steuerbegünstigten Veräußerungsgewinnen.

Erfolgen innerhalb von zwei Jahren keine Investitionen, muß die Ansparabschreibung aufgelöst werden. Dabei ist ein jährlicher Gewinnzuschlag von 6% vorgesehen. Dieser vermeidet nicht, wie die Gesetzesbegründung behauptet, Mitnahmeeffekte; denn der Gewinnzuschlag nach zwei Jahren bedeutet eine nachträgliche Umwandlung eines zinslosen Steuerkredits in einen mit 6% zu verzinsenden Steuerkredit; im Fall, daß darüber hinausgehende Verluste vorliegen, bleibt der Steuerkredit sogar zinslos. Demgegenüber kosten Dauerschulden auf dem Kapitalmarkt, einschließlich der halben Gewerbesteuerbelastung, immer noch einiges mehr. Die Ansparabschreibung schafft (bei Gewinnerzielung) einen zinslosen oder zinsbegünstigten Steuerkredit. Sie unterläuft zusätzlich die marktwirtschaftliche Ordnung, zu der vor allem die Lenkungsfunktion des Kapitalmarkts gehört.

Zu den Änderungen in den Bemessungsgrundlagen durch das Standortsicherungsgesetz, die nicht einer Standortsicherung dienen, gehören

a) das Streichen der degressiven Abschreibung für Gebäude in § 7 Abs. 5 EStG;

b) der Freibetrag von 500.000 DM beim Einheitswert des Betriebsvermögens im Falle einer Erbschaft (§ 13 Abs. 2a ErbschStG). Die Steuerbegünstigung von Erbschaften als von anderen Personen erarbeitetem Vermögen gegenüber Einkommen und Vermögen, wie sie aktive Unternehmer erwirtschaften, schlägt sozialer Marktwirtschaft und hierin insbesondere der Auslesefunktion von Wettbewerb ins Gesicht; denn die Wirtschaftsgeschichte lehrt, daß unternehmerische Fähigkeiten sich nur selten über zwei Generationen in einer Familie halten.

Einige weitere Regelungen korrigieren Versäumnisse früherer Gesetzgebung.

b) Meßprobleme bei wirtschaftlichen Steuerbelastungen, Meßannahmen und Meßergebnisse

Aussagefähige Steuerbelastungsvergleiche für Investitionen verlangen, Steuersätze und Steuerbemessungsgrundlagen zusammenzufassen durch Berechnung wirtschaftlicher Grenzsteuerbelastungen für Investitionen. Eine wirtschaftliche Steuerbelastung wird aufgrund von Zahlungsströmen berechnet, z.B. mit Hilfe des investitionsrechnerischen Schemas: Rendite vor Steuern in einer Unternehmung minus Rendite nach Steuern beim Geldgeber. Die Differenz mißt einen wirtschaftlichen Kapitalmarktsteuerkeil. Wird dieser auf die Rendite vor Steuern bezogen, drückt sich die wirtschaftliche Steuerbelastung als Prozentsatz aus und erlaubt einen Vergleich mit der rechtlichen Steuerbelastung, die in Grenzsteuersätzen ausgedrückt wird. *Steuervergünstigungen* in den Bemessungsgrundlagen werden durch Abweichungen der wirtschaftlichen Steuerbelastung von der rechtlichen nach unten angezeigt. *Steuerverböserungen* in den Bemessungsgrundlagen liegen vor, wenn die wirtschaftliche Steuerbelastung die rechtliche übersteigt.

Effektive Grenzsteuerbelastungen seien im folgenden für drei Arten von Investitionen berechnet: Maschinen, Gebäude und Vorräte und zwei Gruppen von Geldgebern über den Kapitalmarkt: private Haushalte und gemeinnützige Institutionen, sowie drei Finanzierungsquellen beachtet: Selbstfinanzierung, Fremdfinanzierung und Beteiligungsfinanzierung. Ausgeklammert bleibt Innenfinanzierung aus Gewinnermittlung, soweit sie über Anlagenabschreibungen und hinsichtlich der Vorräte über das Lifo-Verfahren hinausreicht, also insbesondere die Finanzierung über Pensions- und andere Rückstellungen sowie Teilwertabschreibungen.

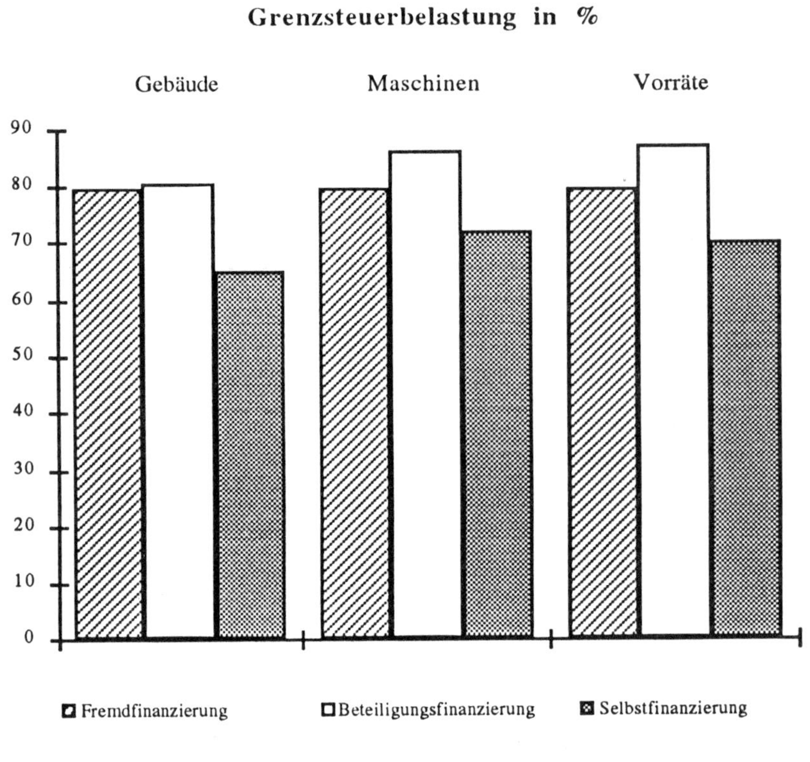

Abb. 1: Effektive Grenzsteuerbelastungen, alte Bundesländer, Spitzensteuersätze der Kapitalgeber einschließlich Solidaritätszuschlag und Kirchensteuer

Das Meßmodell zur effektiven Grenzsteuerbelastung beruht im Schrifttum auf einem Formelapparat, den King/Fullerton 1984 mit zahlreichen Meßannahmen vorgestellt haben. In der 7. Auflage von "Investition, Finanzierung und Besteuerung" habe ich die Voraussetzungen und Meßannahmen erläutert, kritisiert und aktualisiert. Die Meßannahmen für eine Berücksichtigung des Standortsicherungsgesetzes, des Solidaritätszuschlags und der erhöhten privaten Vermögensteuer sind in dem Aufsatz "Hochsteuerland Bundesrepublik Deutschland 1994/95" zusammengestellt. Da ein Vortrag der einzelnen Meßannahmen fast eine halbe Stunde beanspruchen würde, bitte ich um Ihren Vertrauensvorschuß, daß nicht untypische Annahmen gewählt wurden. Aus Zeitgründen beschränke ich mich auf eine grafische Wiedergabe der Berechnungsergebnisse.

Die effektive Grenzsteuerbelastung der privaten Geldgeber 1995, wenn eine Kapitalgesellschaft für Gebäude-, Maschinen- und Vorratsinvestitionen entweder Fremdfinanzierung, Beteiligungsfinanzierung oder Selbstfinanzierung wählt, zeigt Abb. 1.

Beim Spitzensteuersatz für die Geldgeber errechnen sich effektive Grenzsteuerbelastungen zwischen 65% (Bauten bei Selbstfinanzierung) und 86,5% Maschinen in Altbundesländern bei Beteiligungsfinanzierung.

Werden diese Ergebnisse für 1995 mit den Berechnungen für 1993 verglichen, so folgt, daß das Standortsicherungsgesetz zusammen mit dem Solidaritätszuschlag nahezu durchgängig die effektive Grenzsteuerbelastung erhöht. Die folgende Grafik zeigt die Differenz der effektiven Grenzsteuerbelastung in Prozentpunkten mit Standortsicherungsgesetz und Föderalem Konsolidierungsprogramm minus Steuerbelastung nach Steuerrecht 1993 an.

Wegen des Wegfalls der degressiven Gebäudeabschreibung steigen trotz Steuersatzsenkung die effektiven Grenzsteuersätze, bei Fremdfinanzierung sogar um über 20%.

Lediglich für den Fall der Selbstfinanzierung sinkt die effektive Grenzsteuerbelastung um weniger als 2%. Ursache hierfür ist, daß die Senkung der körperschaftsteuerlichen Tarifbelastung sich nur bei der Selbstfinanzierung auswirkt und durch den Solidaritätszuschlag nicht ganz zurückgenommen wird. Für Bauinvestitionen wird diese Steuersatzsenkung überkompensiert durch den Wegfall der degressiven Gebäudeabschreibung.

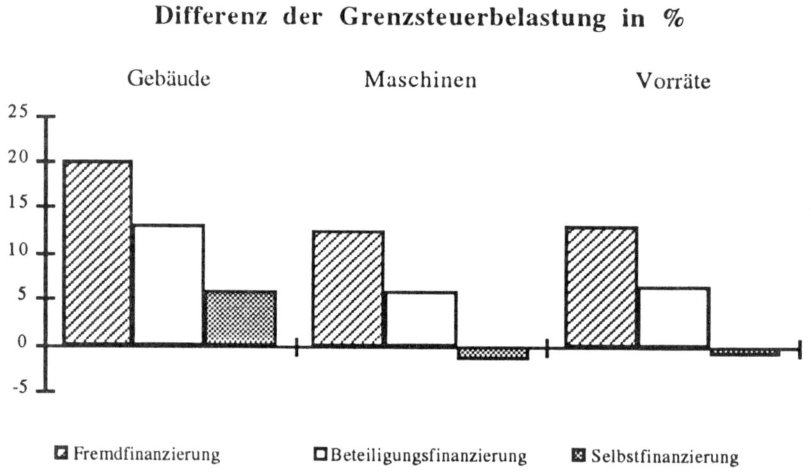

Abb. 2: Effektive Grenzsteuerbelastungen 1995 minus Grenzsteuerbelastungen 1993 für Investitionen in den alten Bundesländern

In den jungen Bundesländern liegen die effektiven Grenzsteuerbelastungen erheblich niedriger wegen der fehlenden Vermögen- und Gewerbekapitalsteuer, wegen der Investitionszulage und der Investitionszuschüsse sowie der 50%-Sonderabschreibungen. Am unteren Ende der Spannweite effektiver Grenzsteuerbelastungen liegen Maschineninvestitionen in den jungen Bundesländern, die durch Fremdkapital gemeinnütziger Institutionen finanziert werden mit minus 305%. Minus 305% effektive Grenzsteuerbelastung bedeuten, daß aus 10% Vorsteuerrendite 40,5% Nachsteuerrendite werden!

Die Berechnungen effektiver Grenzsteuerbelastungen sind wegen ihrer engen Voraussetzungen nur als Musterbeispiel zum Einblick in die Problemstruktur wirtschaftlicher Steuerbelastungen geeignet. Allein dieser Einblick reicht jedoch für folgende Einsichten aus:

1. Das in der politischen Diskussion gängige Vergleichen von rechtlichen Steuerbelastungen verfälscht nur, informiert aber nicht über die wirtschaftliche Steuerbelastung bei Investitionen.

2. "Die" repräsentative Unternehmensteuerbelastung für Investitionen gibt es nicht. Angesichts der von allen Bundesregierungen, vom Bundestag und Bundesrat seit 1949 zu verantwortenden Unübersichtlichkeit und mangelnden Systemhaftigkeit des deutschen Steuerrechts und angesichts des im Ausland kaum besseren Steuerrechts kann nichts anderes herauskommen als eine erschreckend breite Spannweite unterschiedlicher Grenzsteuerbelastungen für Investitionen. Auf diese nehmen Standort, Branche, Investitionsart und Investitionsrendite, Rechtsform und Finanzierungsweise sowie Vertragsgestaltungen zwischen Gesellschaftern aber auch Erwartungen über Gewinne, Zinssätze und Inflationsraten und natürlich zahlreiche Details des Steuerrechts Einfluß.

3. Für die Zeit bis 1993 galt im Vergleich zur Mehrzahl konkurrierender Industrienationen, daß die Behauptung vom Hochsteuerland Bundesrepublik Deutschland für die gewinnunabhängige Substanzbesteuerung richtig war, für die Gewinnbesteuerung wegen der Spannweite effektiver Grenzsteuerbelastungen für Investitionen im Inland wie im Ausland nur im Durchschnitt ungefähr zutraf. Keineswegs galt die Behauptung vom "Hochsteuerland Bundesrepublik Deutschland" für alle Kombinationsfälle von Investitionsarten und Finanzierungsarten. Die Neuberechnungen für 1995 zeigen (bei Ausschluß der Finanzierung durch gemeinnützige Institutionen) eine Steigerung der effektiven Grenzsteuer-

belastung. **Das Standortsicherungsgesetz verbessert zusammen mit dem Föderalen Konsolidierungsprogramm nicht die Wettbewerbsfähigkeit des Wirtschaftsstandortes Deutschland, sondern untermauert die These vom Hochsteuerland Bundesrepublik Deutschland.**

III. Standortsicherung durch Spitzensteuersatzsenkungen oder Steuerstrukturreform mit direkter Investitionsförderung?

Die Begründung zum Standortsicherungsgesetz behauptet, daß "der Weg der mittelbaren Investitionsförderung" durch Senkung der Spitzensätze für gewerbliche Gewinne "dem der unmittelbaren Investitionsförderung" über Investitionszulagen, Investitionszuschüsse, in Grenzen auch über Sonderabschreibungen "grundsätzlich vorzuziehen" ist. Diese Aussage beruht vor allem auf der Unterstellung, daß in- und ausländische Unternehmer auf die Spitzensteuersätze, also die rechtliche Steuerbelastung, achten und die Bemessungsgrundlagen vernachlässigen. Dagegen ist zweierlei einzuwenden:

a) Wenn dem so wäre, wieso drängen dann Verbände und Unternehmer auf eine Verbesserung bzw. Nichtkürzung steuerlicher Abschreibungen und auf andere Bewertungsvergünstigungen? Warum wurden dann die Zonenrandförderungs-Sonderabschreibungen und -steuerfreien Rücklagen für die unmittelbaren Gewinner der deutschen Einheit bis mindestens 1995 verlängert? Verringerte Steuerbemessungsgrundlagen erhöhen Steuerstundungen oder sie schaffen im Verlustfall bzw. bei zeitweiligen Steuersatzsenkungen Steuerersparnisse.

b) Gemeinhin kühl rechnende in- und ausländische Vorstände von Kapitalgesellschaften und persönliche Unternehmer sind nicht so naiv, daß sie Steuerbemessungsgrundlagen bei ihren Investitions- und Standortentscheidungen vernachlässigen. Schließlich schaffen Steuervergünstigungen in den Steuerbemessungsgrundlagen einen Innenfinanzierungsspielraum aus Gewinnermittlungen, der im Regelfall grenzkostenlos zur Verfügung steht oder steuerrechtlich nur niedrig zu verzinsen ist, wie die 6% bei Pensionsrückstellungen oder aufgelösten Ansparabschreibungen. Eine solche steuerbedingte Innenfinanzierung erweitert die Finanzierung von Investitionsgelegenheiten im Inland, aber auch im Ausland, was nicht unbedingt der Standortsicherung dient.

Selbst wenn die Behauptung zuträfe, Senkungen der Spitzensteuersätze seien das Mittel der Wahl zur Stärkung der Investitionsbereitschaft, so erreicht das Standortsicherungsgesetz zusammen mit den Föderalen Konsolidierungsprogrammen dieses Ziel nicht, wie die Berechnungen der rechtlichen Steuerbelastung gezeigt haben. Das ist noch kein Schaden für die deutsche Volkswirtschaft; denn die vermeintlich psychologisch begründete Behauptung, niedrigere Grenzsteuersätze der Gewinne bei Vernachlässigung der Bemessungsgrundlagen erhöhten die Bereitschaft zur Innovation und zur Übernahme unternehmerischer Risiken, steht auf wackligen Füßen. Werden einmal gleiche Einnahmenausfälle des Fiskus durch Spitzensteuersatzsenkung einerseits oder unmittelbare Investitionsförderung andererseits vorausgesetzt, so ist zu beachten:

1. Steuersatzsenkungen begünstigen auch den Konsum, eine unmittelbare Investitionsförderung in Form von Investitionszulagen usw. nicht.

2. Zusätzliches Eigenkapital aus Steuersatzsenkungen kann auch nur dazu benutzt werden, Kredite abzubauen, ohne zusätzliche Investitionen zu veranlassen, während unmittelbare Investitionsförderung an Arbeitsplatz-schaffende Investitionen gekoppelt werden kann.

3. Selbst soweit Steuersatzsenkungen die Investitionsbereitschaft fördern, ist nicht gewährleistet, daß diese Investitionen im Inland Arbeitsplätze sichern. Die Investitionen können wegen nicht steu-

erbedingter Kostenvorteile im Ausland erfolgen, im Inland mag in festverzinsliche Staatsanleihen investiert werden.

4. Steuersatzsenkungen mindern die Risikobereitschaft in weitaus mehr Fällen einer Modellanalyse mit unterschiedlichen Annahmen, als sie die Risikobereitschaft fördern im Gegensatz zu unmittelbarer Investitionsförderung.

Das Standortsicherungsgesetz geht also den falschen Weg zur "Stärkung der Investitionstätigkeit" und zur Anregung der "Innovationskraft und unternehmerischen Risikobereitschaft". Es beschreitet diesen falschen Weg auch noch mit unzureichenden Schuhsohlen an Steuersatzsenkungen, die der Solidaritätszuschlag durchlöchert. Es ist ein Armutszeugnis für unsere Berufspolitiker in Bundestag und Bundesrat, daß sie Strukturreformen in der Unternehmensbesteuerung durch Streichen der Vermögensteuer und der Gewerbekapitalsteuer und ein Ersetzen der Gewerbeertragsteuer bisher nicht durchführen, Struktur-konservierende Subventionen kaum mehr abbauen können, jedoch bereitwillig zugunsten einzelner Wählerklientels im sog. "Mittelstand" und für sog. gemeinnützige Institutionen die soziale Marktwirtschaft unterlaufen. Nicht nur, daß die Zinseinkünfte politischer Parteien von der Zinsabschlagsteuer durch § 44a Abs. 4 EStG 1992 befreit worden sind, das Standortsicherungsgesetz begünstigt durch die Senkung der körperschaftsteuerlichen Ausschüttungsbelastung auf 30% auch noch deren und anderer sog. gemeinnütziger Institutionen Dividendeneinkünfte.

Dies alles geschieht, obwohl das Vermittlungsergebnis zwischen Bundesregierung und Bundesrat aus dem ursprünglich steueraufkommensneutral geplanten Standortsicherungsgesetz nach Schätzung im Bundesfinanzministerium zu Mehrbelastungen des Bundeshaushalts 1994 bis 1996 von mindestens 14 Mrd. DM führt. Einerseits das Einkommen des einzelnen Bürgers progressiv zu besteuern und ihm eine zeitlich nicht begrenzte Ergänzungsabgabe ab 1995 aufzuladen, andererseits bei überaus angespannter Haushaltslage die Kapitalerträge jener Kollektive steuerlich zusätzlich zu fördern, die politische Mehrheiten nicht immer uneigennützig für gemeinnützig erklären: Eine solche Steuerpolitik verwirklicht ein eindeutig kollektivistisches Werturteil, das gegen eine freiheitliche Wirtschaftsordnung gerichtet ist, weil es eigenverantwortliches Handeln im Wettbewerb diskriminiert. Zwar scheint der reale Sozialismus tot, aber stattdessen wuchern kollektivistische Werturteile, zusätzliche Vergünstigungen für einzelne Wählerklientele (z.B. bei der Erbschaftsteuer), Länder- und Gemeinde-Egoismen (bei der Verteidigung der Gewerbesteuer) und sozialneidbeflissene Sachunkunde (durch Beibehalten und Erhöhung der Vermögensteuer). Durch diese Wertungen in der Steuerpolitik gerät die Standortsicherung ins Abseits und die soziale Marktwirtschaft in Atemnot.

Diskussion des Referates *Schneider*

(1) Es wird gefragt, ob mit dem "Föderalen-Konsolidierungs-Programm" und dem darin enthaltenen Solidaritätszuschlag die "richtige" Vergleichsbasis für das Standortsicherungsgesetz gewählt sei, da beide Maßnahmen unterschiedliche Ziele verfolgen. Herr Schneider weist darauf hin, daß zuerst das Konsolidierungsprogramm verabschiedet worden sei und es insofern bei der Beurteilung der Gesamtsteuerbelastung des Unternehmenssektors sehr wohl berücksichtigt werden müsse.

Sein Plädoyer für eine Abschaffung der Vermögensteuer und der Gewerbekapitalsteuer begründet der Referent nochmals mit der Ertragsunabhängigkeit dieser Steuern, die insoweit auch als gravierendes Investitionshemmnis anzuse 129altung der Steuerentlastungen bevorzugt Herr Schneider Investitionszulagen im Vergleich zu einer Reduzierung der Spitzensteuersätze, da erstere eine stärkere Wirkung auf die Nachsteuerrendite haben. Im übrigen sei die Investitionszulage auch eindeutig dem Investitionszuschuß vorzuziehen, da der Zuschuß im Gegensatz zur Zulage der Besteuerung unterliege und somit eine geringere Netto-Wirkung aufweise. Außerdem könne die Zulage auch als Abzug von der Steuerschuld konstruiert werden, wodurch die "Auszahlung" erleichtert werde.

In diesem Kontext weist Herr Linn auf die erheblichen Probleme hin, die in den neuen Bundesländern bis zum Empfang einer Zulage oder eines Zuschusses überwunden werden müssen. Darüber hinaus gelte hier, daß gerade für ostdeutsche Unternehmen häufig die Marketing- und Vertriebskonzeptionen fehlen, die den Investitionserfolg wesentlich beeinflussen.

(2) Daß die Konjunktur in den neuen Ländern trotz der gewährten Investitionshilfen nicht so anspringe, wie im vorhinein erwartet wurde, führt Herr Schneider in erster Linie auf die immer noch - zumindest in Teilbereichen - schlechte Infrastruktur sowie die Probleme in den Verwaltungsabläufen zurück.

(3) Im Zusammenhang mit der Gewerbekapitalsteuer wird das Problem der Einheitswerte angesprochen und die Frage gestellt, welche Entscheidung des Bundesverfassungsgerichtes zu erwarten sei.

Nach Ansicht von Herrn Schneider kann hierüber nur spekuliert werden, da - anders als bei früheren Verfahren - zu den Einheitswerten keine Verlautbarungen vorab registriert werden konnten. Es sei aber nicht zu bestreiten, daß für die Einheitswerte erheblicher Handlungsbedarf bestehe. Außerdem spricht sich Herr Schneider für eine stärkere Umverteilung des Vermögens im Vergleich zum Einkommen aus. Insofern befürworte er auch eine Intensivierung der Erbschaftssteuer, die u.U. dem Vorschlag der Carter-Kommission folgend in die Einkommensteuer integriert werden könnte.

Die als notwendig anzusehende Anpassung der Einheitswerte könne wegen der erheblichen zusätzlichen Belastungen allerdings nur schrittweise realisiert werden. Zudem sei nicht auszuschließen, daß der Gesetzgeber weiterhin an einer differenzierenden Besteuerung, dann u.U. über unterschiedliche Steuersätze, festhalten wird.

(4) Die Konsequenzen des Einheitswert-Urteils für den Wohnungsbau sieht Herr Schneider nicht so gravierend. Nach seiner Meinung liegt das wesentliche Problem hierbei in den zu erzielenden Mieten, und damit im Mietrecht, sowie in der ungleichen Behandlung von privatem und sozialem Wohnungsbau, die dringend reformbedürftig sei.

Zu den Referenten

Heinrich Weiss, Dipl. Ing., Vorstandsvorsitzender der SMS AG, ehemaliger Präsident des BDI;

Reinhard Kuhlmann, Abt. Grundsatzfragen beim Vorstand der IG Metall;

Jörg Wenzel, Kabinettchef des Vizepräsidenten der Kommission der EU;

Horst Linn, Unternehmer, Linn High Therm GmbH;

Dieter Schneider, Prof. Dr. Dr. h.c. mult., Lehrstuhl für Betriebswirtschaftslehre, insbesondere Unternehmensbesteuerung und Unternehmensprüfung, Universität Bochum.